KB209663

금융지식이
힘이다

금융지식이 힘이다

초판 1쇄 · 2018년 3월 30일

지은이 · 박인섭 · 이연학
펴낸이 · 박선주
기 획 · 유철진
펴낸곳 · 봄봄스토리
등 록 · 2015년 9월 17일(No. 2015-000297호)
전 화 · 070-7740-2001
팩 스 · 0303-3441-2001
이메일 · bombomstory@daum.net

ISBN 979-11-89090-03-6(03320)
값 15,000원

금융지식이 힘이다

박인섭·이연학 지음

봄봄
스토리

금융지식이
힘이다

서 문

2008년 3월 시점에서 10년 후인 2018년 3월이 이렇게 변할 것이라고 예측하는 사람은 아무도 없었을 것이다. 정말 세상은 너무나 빨리 변해가고 있는 것 같다. 문득 2000년 미국에서 수업을 받던 중 옆에 앉은 중국에서 온 친구가 설명했던 것이 떠오른다. 당시 그 친구는 앞으로 몇 년 후에 더 이상 여행을 다닐 때 지도를 보면서 가지 않아도 될 것이라고 한참 동안 열변을 토한 적이 있다. 어느 도시의 주소를 적으면 기계가 알아서 찾아 간다고 말하는 것이다. 당시 미국에서 여행을 할 때는 누구나 지도를 들고 다니면서, 옆에 있는 친구가 내비게이션 역할을 잘 해야 하는 시기였다. 그런데 이제 지도가 필요없어진다고 열심히 설명하는 친구를 보며 의아하게 쳐다 본 경험이 있다. 그 친구는 이 기술은 이미 군대에서는 사용하는 기술인데 곧 상용화가 된다는 것이었다. 그 후 몇 년이 지나지 않아 내비게이션은 정말로 현실이 되었고, 여행을 하면서 지도를 가지고 다니는 사람은 사라진지 오래다. 당시에는 말도 안되는 이야기인줄 알았는데 지금은 너무나 당연히 받아들이는 일이 된 것이다.

며칠 전 친구들과 저녁을 하면서 중환자 실에서나 본 혈액 속 산소포화도를 측정하는 기계를 이제는 휴대폰에서 앱을 설치하면 같은 기능을 할 수 있고 그걸 통해 자신의 건강 상태를 체크할 수 있는 세상이 된 것이다. 세상이 얼마나 빨리 변하는지 정말 생각만 해도 머리가 아플 정도이다.

2017년 한국에서 주식시장은 역사적으로 가장 높은 수치까지 상승하였고, 부동산은 이제 강남 일부 지역이기는 하지만 33평 아파트가 20억을 넘는 시대가 되었다. 이 정도 되면 직장인이 월급을 받아서 강남에 집을 사는 것은 불가능한 시대가 이미 된 것이다. 연봉 1억원을 받아 세금도 안내고 한푼의 돈도 사용하지 않아도 20년 이상 돈을 벌어야 서민주택 규모인 30평대 아파트를 살 수 있는 시대가 된 것이다. 물론 서울 일부 지역, 강남을 이야기하는 것이기는 하지만 그래도 2017년 한해는 부동산, 주식을 해서 돈을 벌지 못했다면 참으로 안타까운 일일 것이다.

자산관리 전문가로서 2017년을 주식과 부동산만을 이야기 한다면 진정한 전문가라고 이야기 하기는 어려울 것이다. 그 이유는 2017년 한 해에 가장 뜨거운 재테크 수단은 아마도 가상화폐였을 것이다. 한국에서는 가상화폐에 대해 많은 기존 재력가들은 "가짜"라는 인식으로 쳐다보지도 않은 재테크 수단으로 여겼을 것이다. 그러나 2017년 한해 가상화폐 시장에서는 누구도 상상할 수 없는 수익을 내는 일들이 수도 없이 발생했고, 기존의 재테크 수단으로 부자가 될 수 없다고 판단한 많은 젊은이들은 적은 돈으로 한순간에 부자가 되기 위해서 스마트폰 화면을 통해 돈을 버는 일에 모든 것을 집중하곤 했다. 가끔 주위에서 아주 젊고 유능한 직원들이 사표를 냈다는 일들이 있으면 실체를 모르는 많은 주위 사람들은 부동산 갭투자를 해서 많은 돈을 벌었다, 또는 가상화폐로 수십억을 벌었다는 루머가 퍼지는 경우가 종종 있었다.

이유가 어떻든 간에 회사를 그만둘 정도의 재력을 마련했든, 평생 직장을 찾았든, 떠나는 그들은 무엇인가 준비를 한 것만은 확실해 보인다. 필자는 지금의 상황을 주위 사람들에게 이렇게 설명하기도 한다. 한 치 앞을 볼 수 없을 정도로 칠흑 같은 어둠 속에서 살아 남는 방법은 무엇인가?

이런 질문을 하면 여러 가지 답 중에서 조심스럽게 한 발 한 발 움직인다는 사람이 몇 있었다. 그러나 한 치 앞도 볼 수 없는 상황에서 한 발이라도 움직이다가 절벽으로 떨어질 수도 있고, 깊은 물속으로 빠질 수도 있고, 등등 생존을 보장 받을 수 없을 것이다. 이럴 때 시장에서 생존하는 방법은 과연 무엇일까? 앞을 볼 수 있을 때까지 절대로 움직이지 않는 것도 하나의 방법이다. 물론 한 발짝도 움직이지 않으면 얼마나 생존할 수 있을까? 아마도 성경에서 30일 금식을 하고도 살아 있는 성인이 있는 것을 보면 인간은 아무것도 안먹어도 30일은 살 수 있지 않을까? 그럼 30일 후에도 생존하기 위해서 우리는 무엇을 해야 할 것인가?

필자는 오로지 공부 밖에 할 수 있는 일이 없다고 강변한다. 공부를 한다는 것은 학교에서 수업을 듣는 것이 아니라 세상이 어떻게 변하고 있는가에 대해서 끊임없이 무엇인가를 통해 지식을 습득해야만 한다는 것이다. 지금까지 몰랐던 지식의 습득은 칠흑 같은 어둠 속에서 작은 불빛 역할을 할 수 있을 것이다. 그 작은 불빛을 통해 발밑을 비추고 조금씩 움직일 수 있을 여지를 부여할 것이다. 이러한 지식이 쌓이면 작은 불빛이 큰 등대 불빛이 될 것이고 그 불빛을 따라 우리의 생존이 가능한 상황을 맞이할 수 있을 것이다.

세상이 이해할 수 없는 기술을 통해 너무나 빠르게 변해가고 있는 것과 마찬가지로 금융시장도 새로운 지식을 바탕으로 상상할 수 없을 정도로 빠르게 변화하고 있는 것이 지금의 현실이다. 그러나 금융지식은 과학기술처럼 없는 신기술이 새로 생기는 것이 아니다. 금융지식으로 불빛을 만들기 위해서는 가장 먼저 기본 지식을 습득하고 그 기본 지식의 바탕 위에 한단계 한 단계씩 지식을 추가로 쌓아나가야 한다. 기본적인 금융지식은 생각보다 그렇게 어렵지 않다. 고등학교를 졸업할 수 있는 수준이면 모두 이해할 수 있을 정도로 쉬운 것이다. 물론 모든 지식이 쉽다는 것은 아니다. 작은 불빛을 만드는 데에는 누구나 다 할 수 있다는 확신을 가져야 할 것이다.

이 책은 미래에 무한히 변화하고 다채로워질 금융시장을 이해하기 위한 기본적인 지식을 정리하려고 노력했다. 또한 앞으로 국가정책이 금융시장에 미치게 될 내용들을 간단하게 정리하여 금융시장에서 지식이 없어서 새롭게 찾아올 많은 기회들을 놓치지 않기를 바라는 마음에서 기본적인 금융지식을 쉽게 정리했다. 기본적인 금융지식을 습득하여 자신의 미래에 등불을 밝히는 것뿐만 아니라 자신의 주위에 있는 많은 친구, 가족, 고객들까지도 어둠 속에서 같이 살아 남을 수 있는 현인이 되기를 마음 깊이 기원해본다

자본주의에서 살고 있는 우리는 돈을 멀리 할 수 없는 세상임을 받아들이고, 돈에 대한 더 많은 관심을 가져야 되는 시기가 도래했다. 물론 이러한 세상은 오래 전에 되었으나 어찌해야 할 바를 모르고 있는 사람들이 더 많을 것이다. 이제부터라도 기본적인 금융지식을 습득하여 그 지식을 바탕으로 더 깊은 지식을 이해할 수 있는 현명한 투자자가 되어야 한다. 그리고 모든 사람들이 인생을 마무리해야 하는 시기에 지금까지 살았던 삶의 수준을 유지하면서 좋은 친구들, 고객들과 행복한 삶을 이뤄내기를 기원한다. 이 책이 그러한 삶의 밑바탕이 될 수 있을 것이라 확신하며 글을 시작한다.

CONTENTS

4 장
금융시장에 투자하라

제 5 장
잃지 않는 투자가 중요하다

제 6 장
자산을 관리하라

Chapter

01

금융으로 하나가 되어가는 세계경제

01

국경을 넘나드는 금융자본의 힘

미국 국적을 가지지 않은 국민이 미국에 입국을 하기 위해서는 미국 이민국으로부터 입국허가를 받아야 한다. 우리가 흔히들 이야기하는 VISA를 받아야 입국이 가능하다. 한국의 경우도 2008년 말 비자면제프로그램(VWP)에 가입되기 전까지는 미국 대사관 앞에서 적어도 반나절은 비자를 받기 위해서 줄을 서야 했었다. 만약 외화가 송출될 때에도 사람이 이동하는 것처럼 비자를 발급받아야 한다면 아마도 해외자본의 급격한 유출과 유입은 비자와 같은 형식을 통해 정부에서 막을 수 있을 것이다. 그러나 불행히도 자금의 이동은 현재 아주 자유스럽게 움직일 수 있도록 개방화되어 있다. 미국에서 한국으로, 한국에서 미국으로 자금을 송금하는 과정에서 비자는 필요하지 않다.

금융 자본의 이동은 실질적으로 국경이 존재하지 않는 것이다. 이러한 개방성으로 인해 특별한 제한사항이 없는 한 세계의 유동성 자금은 이익을 낼 수 있는 곳으로 항상 움직이는 모습을 보인다.

결국 자본시장에서 성공한 투자자로 남기 위해서는 시중의 자금 흐름이 과연 어디로 흐를 것인가에 대해 항상 주의를 기울이지 않으면 안 된다. 결국 시장에서 성공한다는 것이 부자가 된다는 말로 바꾸어 표현할 수 있다면, 부자가 되기 위해서는 남들보다 더 많이 아는 것 외에는 방법이 없을 것이다. 공부를 잘 한다는 것 자체가 곧 많이 안다는 것으로 착각해서는 안 된다. 돈이 어디로 움직이고 어떻게 수익을 내는지를 아는 것! 이것이 바로 금융을 안다는 것이다.

02

과거는 미래의 窓

과거의 수익이 미래의 수익을 보장해 주지 못한다는 명제는 명확하다. 하지만 과거의 흐름을 살펴보면서 미래의 흐름을 예측해 보는 것은 합리적 투자자의 기본적인 의무라 할 수 있다. 과거의 경험은 현명한 자에게 부자가 될 기회를 제공할 수 있음을 명심해야 한다.

오마하의 현인이라 불리우는 워런 버핏의 이야기를 한번 해 보자.

2010년 워런 버핏은 어김없이 Berkshire 주주들에게 정례 편지를 보냈다. 세상에 제공된 편지의 첫 페이지에는 Berkshire가 1965년 이후 세후 연평균 수익을 20.3%를 기록했다고 발표하고 있다. 이 수치는 S&P 500지수가 같은 기간 세전으로 9.3% 수익을 얻은 것과 비교하면 과히 놀라운 결과이다. 이러한 좋은 수익을 내고 있는 버핏은 과연 어떻게 투자를 했을까?

버핏은 10살부터 투자를 시작하여 70년을 주식시장에서 많은 경훤을 한 살아있는 전설이다. 70년의 기간 동안 그는 수 많은 위기를 경험했을 것이다. 1987년 10월 19일 하루에 지수가 20% 하락장을 경험했던 그는 시장이 급락하면 반드시 회복된다는 것을 배웠을 것이다. 2008년 금융위기가 도래되었을 때 그는 아마도 블랙먼데이를 떠올렸을 지도 모른다.

버핏은 2008년 10월 한국증시가 900이 무너지고 미국 DOW지수가 9000천이 무너지는 시기에 NYT(New York Times)를 통해 나는 적극적으로 주식을 매입 중이라는 기고를 하고 실제 많은 자금을 회사자금이 아닌 개인계좌로 주식을 매입한다.

이 시기 워런 버핏은 리먼브라더스 파산 이후 불과 1주일 만인 2008년 9월에 골드만삭스 우선주를 115달러에 50억 달러어치를 매수한다. 아울러 연간 10%의 배당금과 50억 달러의 보통주도 115달러에 매수할 수 있는 보너스까지 챙긴 바 있다.

하지만 위기의 여파로 인해 골드만삭스 주식이 47달러까지 하락하면서 25억 달러의 손실을 입게 되자 2009년 3월 모 언론사에서는 '버핏의 굴욕' 이라는 기사까지 써가면서 버핏의 투자를 비웃기까지 했다. 하지만 골드만삭스 투자 1년 후 버핏은 골드만삭스 투자로 65억 달러의 평가차익을 확보하면서 투자의 대가로서의 위명을 다시 한번 떨치게 된다. 이에 버핏을 비웃는 기사를 썼던 동일 언론에서 다음과 같은 기사를 내보내게 된다. "투자의 달인들은 역시 달랐다"라는…

금융위기에도 불구하고 버핏이 과감하게 골드만삭스 주식을 매입한 이유를 어디에서 찾아볼 수 있을까? 2008년 4/4분기 금융위기에 대한 공포가 극심해 지면서 FRB의 버냉키 의장은 정책금리를 0.25%까지 낮추는 극단적 통화 완화정책을 시행하게 된다. 금리를 더 이상 낮출 수 없는 수준에 까지 이르러도 경기침체가 극복되지 않자 1차 '양적완화' 정책을 실시하면서 시장에 더 많은 유동성을 공급하게 된다. 시장에 유동성 자금이 넘쳐나자 주식시장이 반응하면서 주가가 상승하는 모습을 보였다. 이는 시중의 유동성 자금이 자산가격의 상승을 초래하는 확장적 통화정책의 전형적 경로를 나타내 주는 현상이라 볼 수 있다. 정부의 통화정책에 대한 이해, 투자대상 기업에 대한 철저한 분석이야 말로 버핏의 골드만 삭스 투자 성공의 근본원인이라 할 수 있는 것이다.

거기에 하나 더 덧붙여 설명하고 싶다. 워런 버핏의 과감한 투자결정의 이면에는 과거에 진행되었던 위기 극복의 과정에서 얻었던 경험에 기인한 바가 크다고 생각된다. 시장의 과도한 폭락은 폭등을 수반한다는 진리와 경기가 순환을 그리며 순환하듯이 경기의 선행지수로서의 주가 또한 이러한 순환을 지속할 것이라는 과거의 경험에 대한 믿음이 결국 버핏을 금융위기를 극복한 승자로 만들었을 가능성이 크다.

03

부자가 되기 위한 3가지 방법

세상에서 부자가 되는 방법은 3가지가 있다고 한다. 첫 번째 방법은 부자인 부모를 만나는 것이다. 하지만 이 방법은 쉽지 않다. 부모를 선택하는 것은 나의 의지로 결정되는 것이 아니기 때문이다. 2015년 한해 사망자 29만명 중에서 상속세를 납부할 만큼 많은 자산을 남기고 사망하신 분이 전체의 고작 2.2%에 불과한 6,500명 정도였다는 사실은 실제로 상속을 받아 부자가 되는 사람이 그리 많지 않다는 것을 나타내 주는 통계라 할 수 있다.

두 번째 방법으로는 복권에 당첨되는 것이다. 호사가들의 계산에 따르면 로또의 1등 당첨 확률은 '8,145,060 분의 1' 이다. 1등 당첨은 바라지 않는 게 건전한 상식이다. 최근에는 경기불황의 여파로 복권을 구입하는 사람들이 많아 실제로 1등에 당첨된다고 하더라도 수령할 수 있는 금액은 10억대 중반에 국한되는 것이 현실이다. 10억 원은 분명 큰 금액이기는 하지만 지금의 한국 경제 상황을 보면 부자라고 이야기 하기는 어려울 것이다. 최근 강남 20평대 아파트 한 채의 가격이 10억 원을 훌쩍 넘어서고, 서울시내 많은 지역의 집값이 거의 10억원에 가까운 것을 감안하면 큰 돈이기는 하지만 부자라고 하기는 힘들 것이다. 무엇보다 복권에 당첨은 자신의 노력이 아닌 운에 달려있기 때문에 투자자 스스로 결정할 수 있는 일이 아니다.

부모를 잘 만나서 부자가 되는 것, 복권에 당첨되는 것 등은 자신의 노력이 아닌 하늘이 정해줘야 하는 일이기 때문에 부자가 되는 방법이라고 이야기 조차 하기 힘든 일일 것이다.

그럼 부자가 되는 방법, 내가 노력해서 부자가 되는 방법은 무엇인가? 아주 간단하다. 첫 번째, 돈을 많이 버는 것이다. 그러나 많이 버는 사람이 모두 부자가 되는 것은 아니다. 두 번째, 적게 써야 한다. 이 또한 버는 돈이 작은데 적게 쓴다고 해서 부자가 되기도 힘들다. 세 번째, 많이 벌고 적게 써야 한다. 그리고 여유자금을 통해 투자를 해서 돈을 벌어들이는 방법을 여러 가지 가지고 있어야 한다는 것이다.

지금 살아가고 있는 많은 일반 서민은 근로소득자가 많기 때문에 많이 벌고 싶어도 자신의 뜻대로 많이 벌기가 쉽지 않다. 그러기 때문에 적게 쓰고 여유자금을 현명한 투자를 통해 근로소득과 자본소득(투자수익)을 확보하여 소득의 다변화를 취해야 한다. 인간은 시간이 지나 늙어지면 자연스럽게 소득이 줄 수 밖에 없지만 자본은 시간이 지나면 점점 더 젊어지고 돈을 더 많이 벌어 온다. 이것이 이자와 복리의 힘인 것이다. 1000만원 보다는 1억이 훨씬 더 젊고 돈을 더 많이 벌어다 준다. 시간이 지나 1억원이 10억이 되면 더 젊어지고 더 많은 돈을 번다. 이처럼 자신을 위해 더 젊고 돈을 많이 벌어주는 자본이라는 종업원을 만들기 위해서는 지금 적게 쓰면서 자본을 모으는 방법 밖에는 부자가 되는 방법이 없을 것이다.

04

투자를 모르고서 부자가 되는 꿈을 버려라

돈을 가진 부자들이라 하더라도 노동을 통해서 소득을 창출하는 것은 물론 중요한 일 이다. 하지만 그러한 소득을 제대로 운영하는 것이 더욱 중요한 일이라 단언할 수 있다. 이와 관련해 내가 상담을 했던 의사 선생님의 사례를 들어 설명해 보고자 한다.

현실적으로 한국에서 가장 인기 있고 입학하기 어려운 의과대학을 진학한 사람의 경우 약 35세는 넘어야 정상적인 월급을 받거나 개원을 할 수 있다. 내가 만난 의사 선생님들의 급여는 50대 후반이 되어서야 비로서 약 2억원 정도에 이르는 것이 일반적이었다. 이러한 상황을 무시하고 35세 시장에 바로 진출하는 Pay Doctor의 연봉이 2억이라고 가정하자.

35세 월급쟁이 의사 선생님이 근로소득만으로 10억원의 자산을 마련하기 위해서는 2억원의 연봉 중에 세금과 기타 생활비를 제하고 아무리 못해도 8년 이상의 기간이 소요되기 마련이다. 50세나 되어서야 받을 수 있는 규모의 월급을 35세 시점서부터 받는다고 가정하더라도 43세 정도는 되어야 간신히 강남의 20평대 아파트를 살 수 있는 자금을 마련할 수 있다. 그러나 30대 의사가 연봉을 2억원을 받는 사람은 많지 않을 것이다. 또한 그들은 자신과 같이 아이들을 훌륭하게 키우기 위해서 교육비에 대한 지출이 상대적으로 다른 사람들에 비해 적지 않을 것이 일반적이다. 또한 강남에 거주하는 커뮤니티와 어울리는 삶의 수준을 유지하기 위해서 상당한 자금을 사용해야 한다. 내가 알고 있는 30~40대 월급을 받는 의사가 500만원 이상을 매월 저축하고 하고 있는 의사 선생님을 많이 만나보지 못한 것도 소득이 적어서가 아니라 쓰는 돈이 많아서일 것이다.

물론 개업을 해서 자신의 사업을 하고 있는 의사의 경우는 다소 다를 수 있다. 한 달에 매월 순이익만 1억원을 내는 의사 선생님도 있고, 생활비 감당하는 것에 만족하는 의사도 있기 때문이다. 내가 만난 많은 개업의들이 자신의 노동력을 투자해서 벌어들일 수 있는 돈의 한계는 매월 3000만원 정도였다. 예를 들어 이 개업의가 생활비와 기타 비용을 제하고 1,000만원씩 매월 저축을 하고 25년 동안 정기예금 이자율 수준인 4% 수준으로 운영하게 되면, 60세 시점에서 50억원 상당의 은퇴자금을 마련할 수 있게 된다. 하지만 과연 매월 1,000만원씩 저축하는 것이 과연 쉬운 일일까? 또한 매년 한번도 빠짐없이 4% 세후 수익을 낸다는 것은 쉬운 일인가? 아무것도 쉬운 일이 없다.

개업의가 아닌 월급을 받는 의사 선생님이 50억을 만들려면 어떻게 해야 할까? 앞에서 설명한 개업의 만큼의 월 투자자금 확보가 어려운 월급쟁이 의사의 경우 결국은 수익률을 증가시키는 것 밖에는 방법이 없다. 그렇다면 매월 400만원의 투자여력이 있는 월급쟁이 의사의 경우 어느 정도의 수익을 확보해야 50억의 은퇴자금을 마련할 수 있을까? 매년 10%. 10%를 확보하면 된다.

페이닥터 입장에서 해야 할 일은 너무나도 극명하다. 매월 400만원의 돈을 납입하는 것은 현업에서 열심히 일하면 달성할 수 있는 목표이다. 게다가 의사는 정년이 정해져 있지 않다고 하는 것이 일반적이다. 결국 50억의 은퇴자금 마련에 있어 페이 닥터가 고심해야 하는 것은 과연 무엇인가? 결국 10%의 수익을 달성하기 위해 투자시장을 이해해야 한다는 것으로 결론지을 수 있는 것이다.

지금의 자본 시장에서 매년 10%의 수익을 낸다는 것은 거의 불가능해 보일 수도 있다. 물론 쉬운 일은 아닐 것이다. 워런 버핏이 50년 동안 세후 연평균 20% 수익을 얻어 전세계에서 가장 부유한 사람이 되었다. 물론 버핏은 물려받은 돈도 없었고, 월급을 많이 받지도 않았다고 한다. 오로지 버핏의 소득은 자본 소득인 것이다. 그러나 버핏은 지금까지 30년 동안 현재 약 6억원 정도 하는 집에서 살고 있고, 자동차도 최근에 자녀들이 교체하라고 안달해서 캐딜락으로 교체한 것은 유명한 일화이다. 버핏은 많이 벌고 적게 썼다. 부자가 되는 완벽한 방법을 알았고, 그 방법을 실천에 옮긴 위대한 투자가이다.

이제 투자시장을 이해하지 않고서 부자가 된다는 꿈을 버리는 것이 현명한 생각일 것이다. 투자라고 하면 단순히 주식시장만을 이야기 하거나, 부동산 투자만을 이야기 하는 것이 아니다. 돈이 거래되는 모든 행위가 투자이고, 돈은 움직이면서 수익 또는 손실을 투자자에게 남겨줌으로 반드시 흔적을 남긴다. 이러한 흔적이 누적된 결과가 바로 부자와 서민을 가르는 경계가 되는 것이다.

결국은 투자의 기본을 아는 것이 부자가 되기 위한 첫걸음이자 마지막임을 명심해야 한다.

Chapter 02

투자의 기본을 알아야 한다

01

실질금리 (-) 시대의 도래란 무엇인가?

최근의 급격한 물가상승은 시장 투자자로 하여금 실질금리 (-)의 시대를 살게끔 강요하고 있다. 도대체 실질금리 (-)라는 것은 무슨 의미를 가지고 있는 것일까?

2018년 2월 기준 은행연합회에서 제시하고 있는 일반 시중은행의 1년 만기 정기예금 평균금리는 1.8%대로 제시되고 있다. 가장 높은 금리를 제시하고 있는 은행의 정기예금 금리는 2.2%이다. 투자와 관련해 제시되는 금리는 피셔 법칙이라는 것에 의해 반드시 2가지 항목으로 분리해 살펴보아야 한다. 즉 명목금리 = 실질금리 + 기대 인플레이션 이라는 것이다.

시중에서 제시하고 있는 1년 만기 정기예금의 평균금리 1.8%를 명목금리로서 실질금리와 기대 인플레이션으로 나눠보자. 기대 인플레이션이란 시장 투자자의 물가 상승률에 대한 기대치로 볼 수 있는데, 2017년 년간 물가 상승률은 1.9%로 예측되고 있다.

따라서 1.8% = 실질금리 + 1.9%로 이해할 수 있고, 이를 실질금리로 파악해 보면 실질금리 = 1.8% - 1.9% = -0.1%로 이해할 수 있는 것이다. 이는 물가를 감안할 때 1년 만기 정기예금에 투자할 경우 실질적으로는 매년 0.1%씩의 실질가치 손실을 보는 것으로 이해할 수 있는 것이다.

결국은 물가상승률 이상 만큼의 수익을 창출해내야 과거의 자산가치를 유지할 수 있다는 것을 알 수 있으며, 적정한 수익을 창출해내기 위해서는 과거의 저축이 아닌 리스크를 감안한 수익의 확보라는 투자의 개념을 실생활에 도입하지 않을 수 없게 된다.

이를 저축의 시대에서 투자의 시대로의 전환이 이뤄진 것이라 이야기 하는데, 이러한 투자의 시대에서 의사결정의 기준으로 삼아야 할 것은 무엇일까?

시장의 많은 전문가들이 가장 최우선으로 언급하고 있는 것이 바로 '경기' 라는 것이다.

case study

워런 버핏이 꼽은 가장 위험한 투자는? "예금"

투자자산의 선택기준으로 일반적으로 안정성, 수익성, 환금성 등의 3가지를 언급한다.

투자대상별 특성

투자대상	안정성	수익성	환금성
주식	낮음	높음	높음
부동산	높음	높음	낮음
은행예금	높음	낮음	높음

그런데 이런 일반적인 인식과는 달리 세계에서 가장 성공적인 투자자라고 일컬어지는 워런 버핏은 "예금"을 가장 위험한 자산이라고 말했다. 워런 버핏은 2011년 자신의 회사인 버크셔 해서웨이 주주들에게 보낸 서한에서 주식투자가 왜 다른 자산보다 나은지를 천명하며 아래와 같이 말했다.

"첫 번째 종류의 투자처는 현재의 통화로 표시되는 MMF(단기금융투자자산), 채권, 주택담보대출 모기지, 은행예금 등이 있습니다. 사람들은 이런 투자가 안전하다고 생각합니다. 그러나 실제로는 이것들이 가장 위험한 자산입니다."

워런 버핏은 현재보다 미래에 더 높은 구매력을 얻기위한 행위를 투자라고 정의하는데 그런 기준에서 봤을 때 예금같이 약간의 이자만 받을 뿐 큰 틀에서 가격이 변하지 않는 자산은 매우 위험한 것이라고 말했다. 이유는 화폐가치의 하락 즉, 인플레이션(물가상승) 때문이다.

워런 버핏은 본인이 버크셔 해서웨이의 경영을 맡은 1965년 이후 위의 서한을 쓴 2011년까지 화폐가치가 무려 86%나 하락했다고 말했다. 1964년에 1달러에 살 수 있었던 물건이 2011년에는 7달러로 오른 셈이다. 금리가 높은 시절에는 인플레이션 위험을 고금리가 막아줄 수 있었다. 명목금리와 실질금리의 관계를 나타내는 피셔법칙을 이해할 필요성이 있다. "명목금리 = 실질금리 + 물가상승률"로 표현되는 피셔법칙에 의하면, 연 물가상승률이 5%라고 해도 이자가 7%라면 2%만큼은 실질이자율을 가져가게 된다. 하지만 이자가 7%인데 물가상승률이 10%라면 오히려 −3%의 실질금리를 얻을 수 있게 되는 것이다.

우리나라의 실질금리 추이를 살펴보면 2008년도에 처음으로 실질금리가 0%대를 기록하여, 은행예금에 돈을 넣어두는 것이 돈을 버는 것이 아니라 돈을 잃게 하는 행위가 되어 버린 것이다. 현재의 예금금리 수준이 역사적으로 낮은 1%대라고 하지만 결국 실질금리를 따져보면 10년 전과 그리 큰 차이가 나지 않는다고 볼 수 있다. 최근 한국은행이 기준금리를 인상하며 예금금리도 조금 올라가기는 했지만 단순히 명목금리만을 살피는 것이 아니라 물가상승률을 감안한 실질금리를 따져 보는 것이 중요하다.

지금까지 워런버핏이 예금을 가장 위험한 자산이라고 한 이유를 살펴보았습니다. 사실 버핏이 예금을 기피한 것은 주식이나 부동산 같이 배당이나 자본차익이 발생하는 실물자산에 비해서 투자효과가 떨어진다는 것이지, 단순히 예금이나 채권투자를 하지 말라는 것은 아닙니다. 워런버핏 역시 채권, 예금 등의 안전자산을 상당 부분 보유하고 있는 것이 사실입니다. 금리가 아무리 낮은 수준이라도 현금 등가물 등을 통해 충분한 유동성을 준비해야 하며, 경기 침체기에 자산가치를 안정적으로 유지할 수 있는 채권 등의 자산은 반드시 포트폴리오에 편입해 놓아야 하는 것입니다. 또한 위기 상황에서 보유하고 있는 현금 자산은 폭락한 자산을 저렴한 비용으로 매입할 수 있는 기회를 부여한다는 점에서 매우 유익한 기회로 활용할 수 있을 것입니다.

경기란 무엇인가?

경제학 교과서에서 언급하고 있는 경기는 '국민경제 전체를 대상으로 하는 전반적인 경제방향'으로 정의할 수 있다. 이를 쉽게 표현하자만 결국 경제의 분위기라고 설명할 수 있을 것이다.

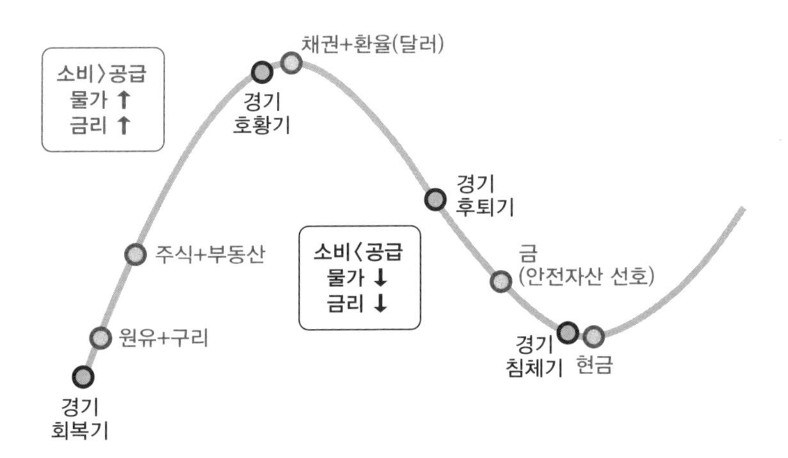

예를 들어 사람들의 소득이 증가해 경제의 분위기가 좋아지면 사람들은 소비를 늘리고, 기업은 투자를 증가시키는 등의 모습을 보이면서 경제는 좋아질 것으로 예측할 수 있다. 경제의 분위기가 좋아지면 시장의 투자자들은 자산 포트폴리오를 안전한 은행 예금이나 채권 등에서 보다 더 높은 수익을 창출해 낼 수 있는 주식이나 부동산 등의 투자를 증가시킬 것이다.

반면 실업이 증가해 사람들의 소득이 줄어들게 되면 소비가 감소할 것이고 기업의 투자 또한 축소되어 경제의 전반적인 분위기는 안 좋아 질 것으로 예측할 수 있다.

경제의 분위기가 좋아지지 않으면 사람들은 주식이나 부동산 등의 위험자산으로부터 예금이나 채권 등의 안전자산으로 포트폴리오를 변경시킬 것이다.

03

경기는 무엇으로 판단할 수 있을까?

시장에서 경기지표를 나타내는 지표로서 가장 많이 언급되는 것이 바로 GDP(국내 총생산)이라는 지표이다. 경제학 교과서를 살펴보면 GDP 는 '한 나라의 영역 내에서 가계, 기업, 정부 등 모든 경제주체가 일정 기간 동안 새로이 생산한 재화와 서비스의 부가가치를 금액으로 평가하여 합산한 통계'라고 명시되어 있다.

경제학에서는 GDP를 이룬 거시경제 계량 모형으로 분석해 GDP를 보다 이해하기 쉽게 설명하고 있다.

GDP(국내 총생산)(경기) = Consumption(소비) + Investment(투자) + Government expenditure(정부지출) + { (Export(수출) − Import(수입) }

$$Y = C + I + G + [X - M]$$

구분	소비 Consumption	투자 Investment	정부지출 Government Expenditure	수출 Export	수입 Import
고려사항	• 가처분 소득 • Wealth effect • 부채수준	• 설비투자 • 재고투자 • 건설투자	• 재정정책 • 통화정책	• 물가 • 환율 • 국민소득	

이 모형을 쉽게 풀어보면 예를 들어 사람들이 소비를 증가시키거나, 기업이 투자를 증가시킬 경우, 또한 정부가 지출을 늘리거나 수출이 수입보다 많아지면 경기가 좋아지게 됨을 알 수 있다. 반대로 가계의 소비가 줄어들게 되면 기업은 투자를 감소시키게 될 것이다. 또한 정부가 지출을 줄이거나 수입이 수출보다 많아질 경우 경기는 안 좋아 질 것임을 알 수 있다.

그렇다면 과연 GDP가 상승(하락)할 경우 자산가격 또한 상승(하락)하는 모습을 보인다는 것은 사실일까?

주가를 예를 들어 설명해보고자 한다. 한 해 한 해의 성장률과 주가는 별다른 상관관계가 나타나지 않는다. 하지만 장기적으로 주가는 GDP 성장률과 비슷한 궤적을 보이며 GDP가 성장할 경우 주가 또한 상승하는 모습을 보임을 알 수 있다.

• 장기적으로 주가는 성장률의 함수

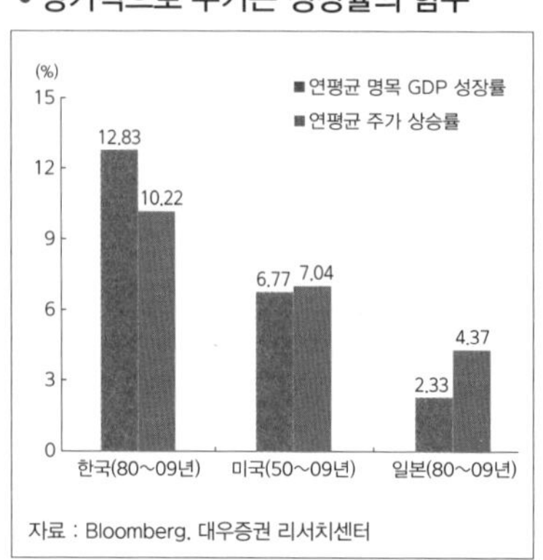

자료 : Bloomberg, 대우증권 리서치센터

• 연간 GDP 성장률과 주가 상승률은 큰 상관 관계가 없음

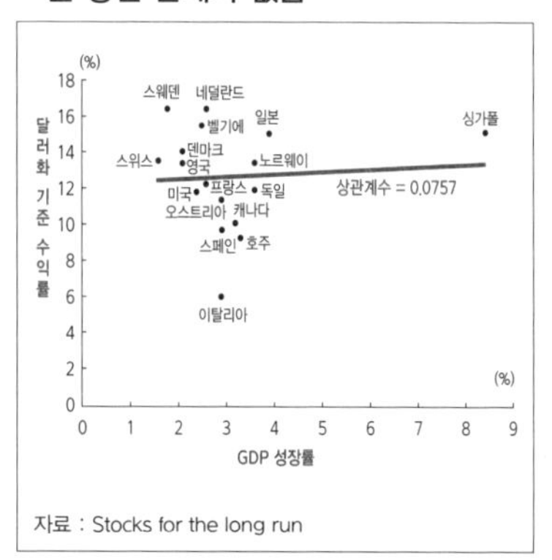

자료 : Stocks for the long run

또한 경제는 전년도에 비해 일반적으로 성장하는 모습을 보이게 된다. 즉 경제는 웬만하면 규모가 줄어들지 않는 증가함수로 이해할 수 있다. 경제활동 인구가 증가하고 자본이 축적되며 기술이 진보해 나가면서 사회전체의 생산능력이 증가함에 따라 경제의 규모자체가 성장하기 때문이다.

실제로 2차 대전 이후 미국은 10년에 한번 꼴로 오는 경기침체를 경험하고 있으며, 우리나라의 경우 70년대 이후 단 3번의 (-)성장을 기록했을 뿐임을 알 수 있다. 경제규모가 성장하면서 주가도 이를 반영해 장기적으로는 상승하는 모습을 보이는 것이 일반적임을 알 수 있는 것이다.

경제는 왠만하면 마이너스 성장을 하지 않는다.

• 미국 GDP 성장률

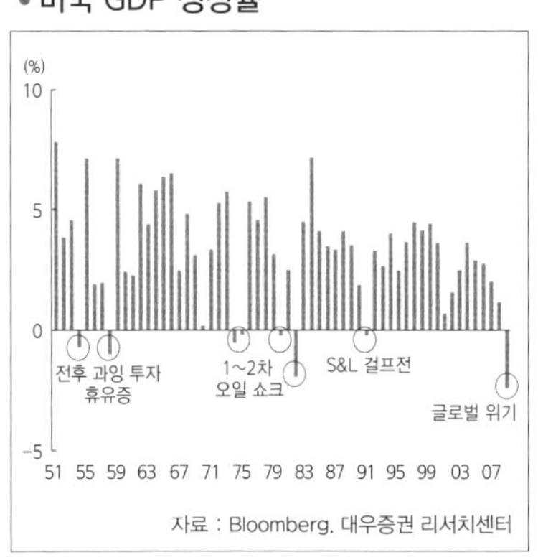

자료 : Bloomberg, 대우증권 리서치센터

• 한국 GDP 성장률

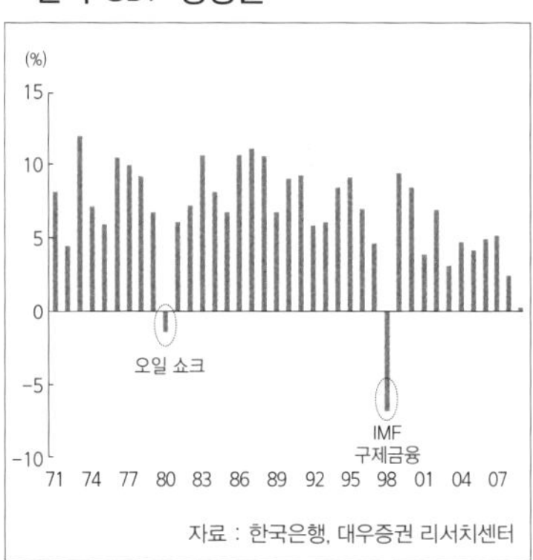

자료 : 한국은행, 대우증권 리서치센터

04

금리를 알면 경기가 보인다

금리, 즉 이자율은 원금에 대한 이자의 비율로서 실물부문과 금융부문을 연결시키는 역할을 담당한다.

일반적으로 경기 상승기에는 기업의 생산과 활동이 왕성해지므로 원자재 구입이나 임금의 지급 등 경상 지출이나 투자지출에 필요한 자금수요가 증가해 금리는 상승세를 보이게 된다. 반면 경기침체기에는 기업의 생산활동이나 투자활동 위축으로 자금수요가 감소하기 때문에 이자율은 하락세를 보이게 된다. 그러나 이자율의 전환점은 경기의 전환점과 일치하지는 않는다. 즉, 이자율은 경기가 저점을 지난 수개월 후에야 저점을 지나게 되고 경기가 정점을 도달한 후 수개월 후에야 정점에 이르는 경향이 있다.

우리나라의 경우 경기가 상승국면에서 수축국면으로 전환되었을 때는 경기정점으로부터 4~14개월이 경과한 후에야 비로서 이자율이 하락하기 시작했으며, 반대로 경기가 침체국면에서 상승국면으로 전환되었을 때에도 3~11개월은 지난 후에야 이자율은 상승세를 보였다. 이는 우리나라에서만 국한된 현상은 아니며, 미국이나 일본 등의 선진국에서도 경기 순환의 매 국면마다 대체로 이자율은 경기에 후행하는 모습을 보여준다.

이처럼 이자율과 경기변동 사이에 시차가 존재하는 이유는 경기변화에 대한 자금 수요 조정이 뒤늦게 일어나기 때문이다.

경기회복 초기에는 경기가 상승함에 따라 매출은 증가하지만 기업의 경우 기존의 재고를 통해 이에 대응하기 때문에 생산요소의 투입량은 크게 증가하지 않게 된다. 또한 경기회복 이전에 조달했던 자금이 상당량 여유자금으로 남아있기 때문에 기업의 외부 자금 수요 또한 급속히 증가하지는 않는다.

기업의 외부자금 수요는 본격적으로 경기가 회복된 이후 충분한 재고조정이 이뤄지고 난 후에야 증가하기 시작한다. 이시기에는 기업이 공급능력의 부족을 느끼게 되고 이에 따라 설비투자를 급속히 증가시키기 때문이다. 또한 이 시기에는 생산증가에 대응하는 임금 등의 생산요소 가격 또한 상승해 기업의 운영자금 수요를 더욱 증가시키게 된다.

반면 경기가 정점을 지나 수축국면으로 전환될 경우 경기 악화로 인해 매출은 감소하지만 기업의 투자 및 생산활동은 기존의 경기상황에 익숙해져 있어 즉각적으로 조정이 이뤄지지 않아 기업의 자금수요는 더욱 증가하는 모습을 보인다. 따라서 경기 위축이 어느 정도 진행되고 난 후에서야 비로서 기업이 경기 위축을 확신해 재고수준이나 설비투자를 하향 조정함으로써 기업의 자금수요는 줄어드는 모습을 보이게 되는 것이다.

05

금리와 시중 자금의 흐름은 밀접한 관계를 지니고 있다

앞장에서 금리가 경기에 후행한다는 점을 강조했는데 이를 시중 자금의 흐름과 연계해 이해할 필요성이 있다.

중앙은행은 해당 국가의 금리 하락을 통해 경기를 조절하게 되는데, 이는 중앙은행이 경기가 안 좋아지고 있음을 확인해 주는 지표라 볼 수 있다. 반대로 중앙은행이 금리를 상승시킬 경우 이는 경기가 이미 좋아지고 있음을 확인해 주는 지표로 볼 수 있는 것이다.

그렇다면 금리가 매우 낮은 초 저금리 시대 (예를 들어 미국금리 0%대의 시대)는 중앙은행이 시중의 경기가 최악의 상황이라고 인식하고 있다고 볼 수 있는 시기로 볼 수 있다.

이러한 초 저금리의 시대에 시중의 자금 흐름은 어떻게 이뤄졌을까?

2008년 초 금융위기로 전 세계가 경기침체에 대한 공포로 떨고 있었을 때 시중 증권사의 리포트 자료 중 재미있는 내용이 계속 올라온

적이 있다. 그 레포트의 주요 내용은 1980년대 이후 경기 침체가 발생하면 시중의 자금 흐름은 항상 일정한 모습을 보인다는 것이었다.

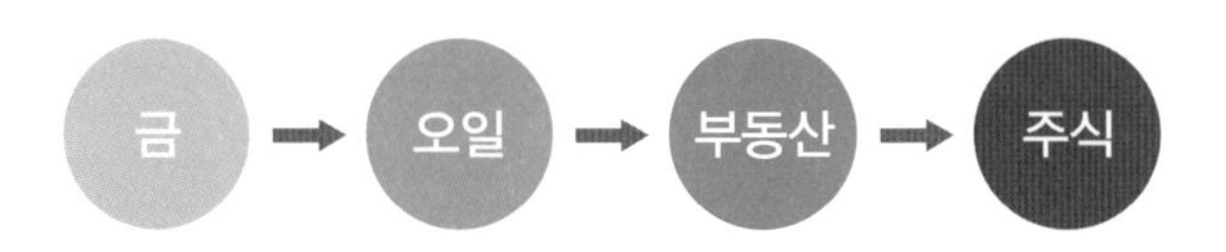

2007년 리먼브라더스 사태로 인한 금융위기 발생 이후 정말로 시중 자금의 흐름이 과연 이런 순서대로 이뤄졌는지 한번 살펴보자.

2008년 1돈당 6~7만원 정도 했던 금반지의 가격은 금융위기가 터진 후 안전자산에 대한 수요가 급증하면서 2011년 9월 24만원에까지 육박하는 모습을 보였다. 이는 거의 위기 전 금반지 가격의 거의 4배에 가까운 가격 상승이 이뤄진 것으로서, 위기가 터지면 시중의 자금은 세상에서 가장 안전한 자산으로 여겨지는 금으로 몰린다는 것을 입증한 사례로 볼 수 있다. 그 이후 경기가 회복세를 보이면서 자금이 부동산, 주식 등의 위험자산으로 흐르면서 금가격은 오히려 하향 안정화 추이를 보이고 있음을 확인할 수 있다.

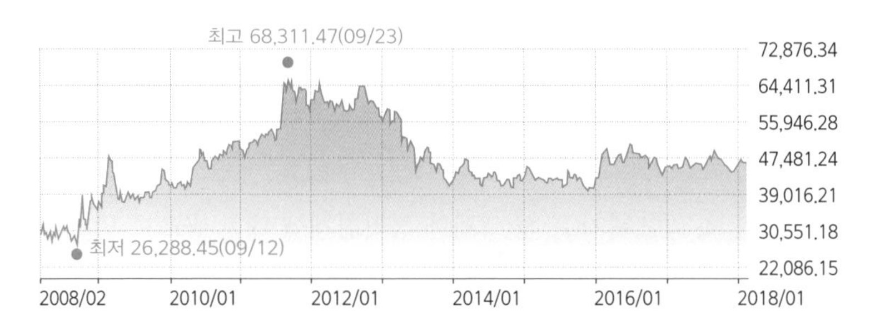

(2018.2.27. 1g 당 국제 금시세)

유가는 어떠할까 ?

금융위기직전 2008년 WTI(서부 텍사스산 중질유) 1배럴당 가격은 145달러 선이었는데, 금융위기 직후 경기침체 우려로 44달러까지 폭락한 바 있다. 하지만 0%대의 저금리로 인해 시중자금이 화폐 자산이 아닌 실물자산으로 흐르면서 2년만에 110달러를 넘어서는 모습을 보인바 있다. 최근의 유가 하락은 미국의 셰일오일 채굴로 인한 공급 과잉 우려 측면에서의 변수가 작용한 것일 뿐이라는 것을 이해할 필요성이 있다.

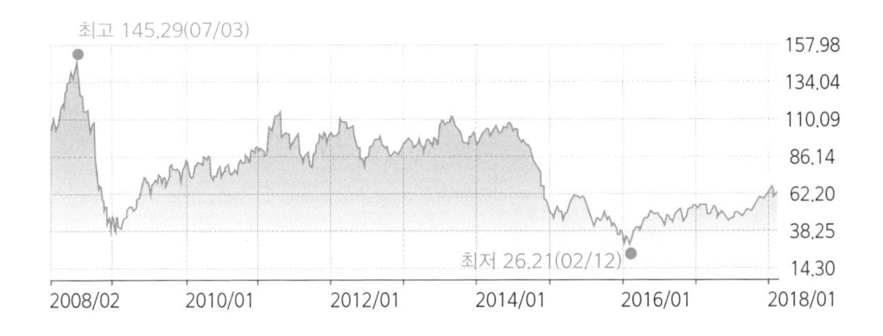

(2018.2.27. WTI 1배럴 당 국제 유가시세)

그렇다면 부동산과 주식의 경우는 어떤 모습을 보였을까?

1. 부동산 시장으로의 자금유입은 이루어졌을까?

금융위기 초반 부동산 가격 또한 하락하는 모습을 보인 것은 사실이다. 특히 서울의 아파트 가격은 경기침체 우려로 인해 2013년 초반까지 하락추세가 이어지며 지지부진한 모습을 보였다.

하지만 지방의 경우 금융위기의 여파로 많은 건설사들이 경기침체 우려로 주택을 짓지 않으면서 2~3년 후 오히려 공급부족의 상황에 직면하면서 주택가격이 상승해 전국 주택가격은 오히려 상승하는 모습을 보인바 있다. 금융위기 이후 경기침체 극복을 위해 전 세계 중앙은행이 금리를 낮추면서 시중에 쏟아 부은 유동성 자금이 부동산 자산으로 쏠리면서 급격한 자산가격 상승세를 시현하고 있는 상황이다.

역대 정권별 부동산 정책과 아파트 가격 추이

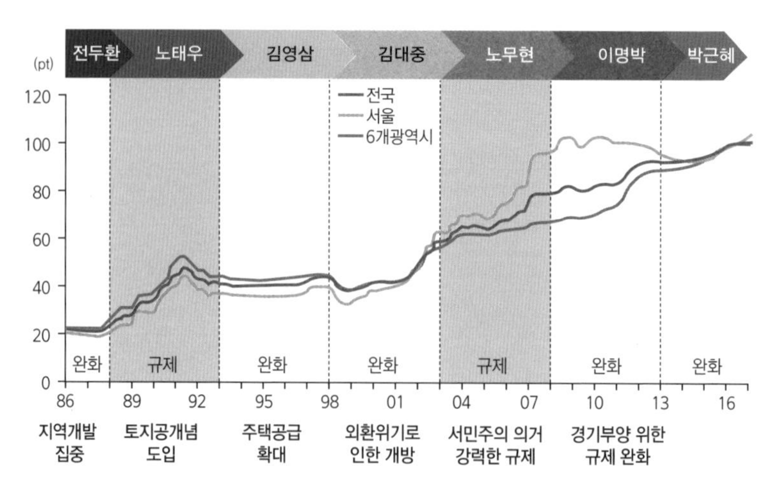

2. 주식시장으로의 자금유입은 어떠한 모습을 보였을까 ?

주식시장은 어떨까? 시중 자금의 흐름에 대해 가장 드라마틱한 모습을 보인 시장이 바로 주식 시장으로 볼 수 있을 것이다.

2007년 리먼브라더스 사태 이전 KOSPI는 2070선을 돌파하면서 절정의 인기를 구가하다가 금융 위기 이후 2008년 10월말 장중 KOSPI는 892를 기록하면서 고점대비 56%가 넘는 하락세를 보인다. 하지만 2011년 8월에는 KOSPI가 2180을 넘어서면서 2008년 저점 대비 144%나 상승하면서 시중의 유동성 자금 중 상당 부문이 주식시장으로 유입되었음을 알 수 있다. 특히 2017년에는 미국을 위시로 한 세계경제 회복세에 따른 수출 증가로 인해 KOSPI 지수가 500P 넘게 상승해 2500을 넘어서는 폭등 장세를 연출한 바 있다.

이는 저금리로 인한 시중의 풍부한 유동성 자금이 주식시장으로 유입되는 모습임을 다시 한번 확인할 수 있는 것이라 판단된다.

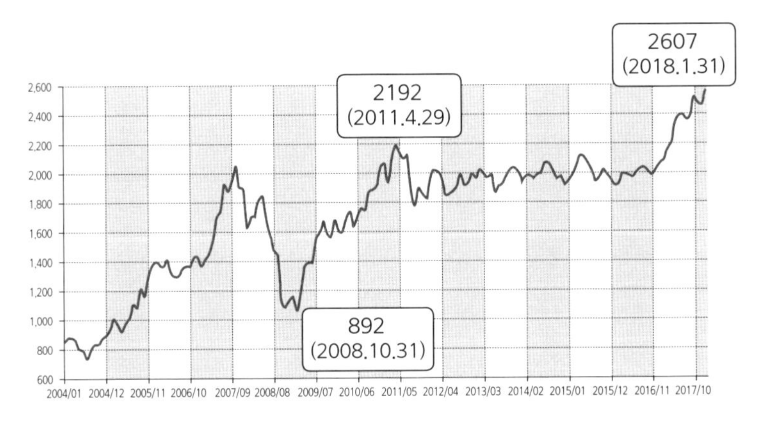

(2018.2.27. KOSPI 지수)

2008년 초에 수 많은 애널리스트들이 언급했던 초 저금리 시대의 시중 자금의 흐름에 대한 증권사들의 레포트를 현실에 대입해 본 결과 그 자금의 흐름에 관한 논리는 타당성을 확보하고 있는 것으로 보인다. 하지만 이러한 시중 자금의 흐름 유입을 조금만 더 상식적으로 이해해 볼 경우 이는 어쩌면 지극히도 당연한 자금의 흐름으로 이해할 수도 있을 것이다.

우선 초 저금리 시대라는 것은 경기가 극도로 침체되어 있는 상황이므로 안전자산에 대한 선호도가 높아지는 것은 당연한 결과일 것이다. 그렇다면 세상에서 가장 안전한 자산은 과연 무엇일까?

시장의 수 많은 투자자들이 언급하는 안전자산의 대표 주자는 바로 '금(GOLD)' 이다. 따라서 경기가 침체되면서 시장 투자자들은 안전자산을 찾게 되고, 안전자산의 대표주자격인 금이 경기 침체기 이후 가장 먼저 자금이 유입되는 것은 어쩌면 당연한 일이라 볼 수 있는 것이다.

또한 경기침체를 극복하기 위한 중앙은행의 초 저금리 정책은 정책금리를 낮추면서 시중에 유동성 자금을 공급함에 따라 화폐가치를 하락시켜 결국 인플레이션을 발생시키게 되는데, 인플레이션이 발생할 경우 화폐성 자산을 보유하기 보다는 실물자산을 보유하고자 하는 수요가 생기는 것은 당연한 일이다. 이에 따라 실물자산의 대표 격으로 인정되는 원자재(특히 원유)의 가격 상승 또한 충분히 인지할 수 있게 된다.

부동산으로의 자금 유입 또한 중앙은행의 초저금리 정책에 의거한 인플레이션 발생을 우려하는 투자자들의 합리적 투자 행위로 인식할 수 있다. 주식 또한 화폐성 자산의 일부로 인식할 수 있지만 경기개선으로 인한 기업이익의 상승은 주가를 상승시키는 원동력임을 이해할 때 경기침체기 중앙은행의 초저금리 정책에 의거한 시중의 풍부한 유동성 자금의 유입이 결국 주식시장 또한 상승시킬 수 있는 원동력이 될 것임은 당연한 수순으로 볼 수 있을 것이다.

물론 이러한 자금의 흐름이 앞으로도 지속되리라고 단언할 수 는 없다. 또한 자금의 흐름이 위와 같다고 하더라도 과연 어느 분야에 더 많은 자금이 유입될지는 그 누구도 단언할 수 없을 것이다.

하지만 경기는 매 순간 순환한다는 점과 이러한 경기순환에 따른 금리의 흐름이 중앙은행의 경기 판단에 따라 일정한 모습을 보인다는 점을 감안할 때 이러한 자금흐름의 논리는 그 이론적인 타당성을 충분히 확보하고 있다고 볼 수 있는 것이다.

경기는 좋아졌다가 나빠지고, 다시 좋아진다는 경기순환의 타당성을 감안할 때 2009~2017년에 이르는 경기순환에 있어서의 투자기회에 동참하지 못했다고 해서 전혀 아쉬워할 필요는 없다고 생각한다. 향후 이러한 경기 순환 사이클이 다시 도래했을 때 그 기회를 포착해 투자행위를 할 수 있도록 마음을 가다듬는 것이 훨씬 더 중요한 일일 것이다.

06

우리나라 경기의 경우 특히 환율에 유의해야 한다

앞에서 우리는 경기를 모두 4가지의 요인으로 분석해서 설명한 바 있다. 즉 GDP(국내 총생산 :경기) = Consumption(소비)+Investment(투자)+Government expenditure(정부지출)+{(Export(수출)-Import(수입)} 이라고 말이다.

그렇다면 소비와 투자, 정부지출, 순수출(수출-수입)에서 우리나라 경기에 가장 큰 영향을 미치는 것이 과연 무엇일까?

바로 수출이다. 수출은 GDP, 즉 경기에서 차지하는 비중은 52.2%로 절반을 넘게 차지한다.

이는 우리나라의 경기는 수출에 의해 크게 영향을 받는다는 것으로 이해할 수 있다. 우리나라의 경우 순수출이 커져 경상수지의 흑자가 발생할 경우 경기가 급속하게 좋아지고, 반대로 순수출이 감소해 경상수지가 적자가 될 경우 경기가 급속하게 안 좋아질 수 있다고 이해할 수 있다.

수출이 수입보다 많을 경우 우리나라로 달러가 유입되며, 이렇게 유입된 달러 자금이 기업의 투자 증가,고용 확대를 가능하게 해 경기를 활성화시키는데 기여하게 된다. 또한 유입된 달러 자금이 주식이나 부동산 등의 위험자산에 투입되어 자산가격을 상승시켜 소비를 진작시키는 등 긍정적 영향력을 발휘해 경기를 더욱 활성화 시키는 모습을 보였던 것이다.

그렇다면 수출에 가장 큰 영향을 미치는 요인은 과연 무엇일까?

1. 수출과 수입에 있어 가장 큰 영향을 미치는 것은 바로 환율이다.

환율이란 일정 시점에서 어떤 한 나라의 통화와 다른 나라의 통화와의 교환비율을 말한다.

2008년 10월부터 2009년 3월까지의 환율의 변화양상을 살펴보면서 환율의 개념을 이해해 보고자 한다.

2008.10.1	1달러 = 1,214.8원	환율상승(달러가치 상승) 원화가치 하락
2009. 3. 3	1달러 = 1,573.6원	

우선 달러 가치 측면에서 먼저 살펴보자. 2008년 10월 1일 1달러를 매입하기 위해서는 1,214원의 자금이 소요되었으나 2009년 3월 3일에는 동일한 1달러를 매입하기 위해 1,573원의 자금이 필요하게 되어 부담이 커지는 모습을 보이고 있다. 이는 달러가치가 상승하는 것으로서 이를 '환율상승'이라고 부른다.

이번에는 원화 가치 측면에서 살펴보자. 똑같은 상황에서 2008년 10월 1일에는 1,214원만 보유하고 있으면 1달러를 매입할 수 있었으나, 2009년 3월 3일에는 1,573원이나 지불해야 1달러를 매입할 수 있게 된다. 이는 결국 원화가치 하락의 모습을 의미하는 것이다.

똑같은 상황이더라도 달러 가치 측면과 원화 가치 측면에서 상반

된 모습을 보이는 것을 알 수 있다. 즉, 달러 가치 상승을 의미하는 '환율상승'이라는 것과 원화 가치 하락을 의미하는' 원화절하'라는 문장은 동일한 개념으로 이해해야 하는 것이다.

그 반대의 케이스가 바로 달러 가치의 하락을 의미하는 '환율하락' = 원화 가치 상승을 의미하는 '원화절상'의 경우이다.

2009년 3월부터 2018년 2월 28일까지의 환율의 변화양상을 살펴보자.

2009. 3. 3	1달러 = 1,573.6원	환율상승(달러가치 하락) 원화가치 상승
2018. 2. 28	1달러 = 1,083.0원	

달러 가치 측면에서 2009년 3월 3일에는 1달러를 보유하고 있을 때 1,573원을 수령할 수 있었으나 2018년 2월 28일에는 1,083원 밖에는 수령하지 못하게 된다. 이를 달러가치의 하락, 즉' 환율하락'이라고 한다. 원화 가치 측면에서 보면 2009년 3월 3일에는 1,573원을 보유해야 1달러를 매입할 수 있었으나 2018년 2월 28일에는 1,083원만 있어도 1달러를 매입할 수 있게 된다. 이를' 원화절상'이라고 한다.

달러 가치의 하락인' 환율하락'과 원화 가치의 상승인' 원화절상'을 같은 개념으로 이해할 수 있는 것이다.

2. 환율의 변화가 수출 및 수입(경상수지)에 미치는 영향

■ 환율상승(원화가치 하락)의 경우

환율상승(원화하락)시 일반적으로 수출의 경우 수출상품의 단가하락에 의한 수출물량 증대로 증가하는 한편, 수입은 수입가격이 상대적으로 상승함에 따라 축소되는 모습을 보이게 된다.

앞의 표에서 살펴보면 수출기업의 경우 2008년 10월 1일에 1달러의 상품을 수출하면 1,214원을 받을 수 있으나, 2009년 3월 3일에는 1달러의 상품을 수출하면 1,573원이나 받을 수 있게 된다. 동일한 1달러의 물품을 수출했으나 2009년 3월에는 2008년 10월에 비해 359원의 이익이 추가로 발생해 30%의 환차익을 얻을 수 있게 되는 것이다.

수입기업의 경우에는 오히려 반대의 모습이 연출된다. 2008년 10월 1일에는 1달러의 상품을 수입할 때 1,214원만 지불했으면 되지만, 2009년 3월 3일에는 1,573원이나 지불해야 하기 때문에 동일한 물품을 수입함에 있어 더 많은 비용을 지불해야 하는 문제점이 발생하게 되는 것이다.

따라서 환율상승(원화가치 하락)의 경우에는 수출이 증가하고 수입이 감소하게 되어 경상수지가 흑자로 개선되는 모습을 보이게 된다.

2009년 금융위기에 따른 전 세계적인 경기침체 상황은 역설적으로 위기의 근원지가 미국임에도 불구하고 안전자산인 달러 가치가 급상승하는 모습을 보였다. 2009년도에 우리나라는 세계에서 가장 빠른 속도로 경기침체를 극복해 냈는데, 그 기저에는 환율 상승에 따른 수출의 증대가 큰 기여를 한 것으로 나타나고 있다.

금융위기 1년 사이 국내기업과 해외경쟁기업 주가비교 (단위 : %)

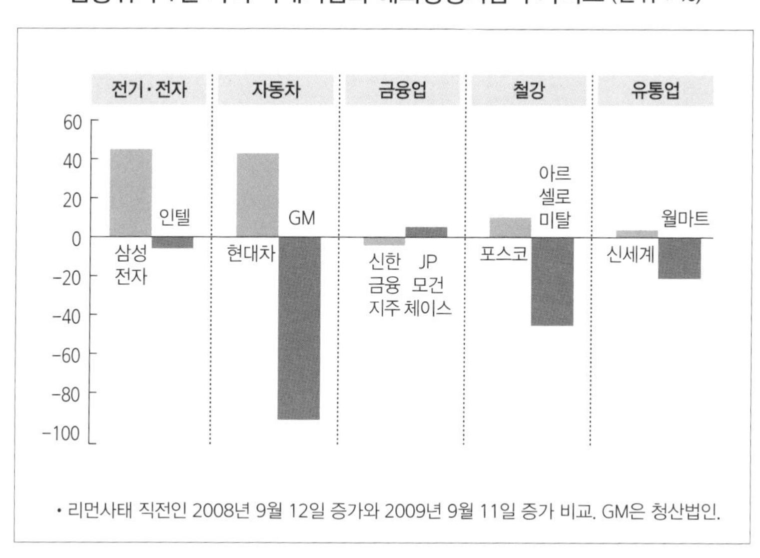

환율하락(원화가치 상승)의 케이스는 앞의 설명과 반대의 flow가 발생하게 된다.

수출기업의 경우 2009년 3월 3일 1달러의 물품을 팔게 되면 1,573원을 수령할 수 있었으나 2018년 2월 28일 1달러의 물품을 수출할 경우 1,083원밖에 수령하지 못하게 되어 동일한 1달러의 상품을 판매했음에도 불구하고 490원이나 적은 금액을 수령해 수출 채산성이 악화되는 모습을 보인다.

수입기업의 경우를 살펴보면 2009년 3월 3일에는 1달러의 물품을 수입할 때 1,573원이나 지급해야 했지만 2018년 2월 28일에는 1,083원만 지급하면 되므로 동일한 1달러를 지급함에 있어 과거에 비해 490원이나 적은 비용을 지급함으로써 그만큼 수입상품의 가격이 하락하는 모습을 보이게 된다.

따라서 환율하락(원화가치 상승)의 경우에는 수출이 감소하고 수입이 증가해 경상수지가 악화되는 모습을 보일 수 있다.

■ 경상수지 흑자와 관련해 의미 있는 원/달러 환율 수준은?

우리나라의 경우 1997년 이후 환율수준에 의거한 경상수지 에 대한 추이를 분석한 결과 환율이 1,145원에서부터 경상수지 흑자가 빠른 속도로 감소하는 모습을 보였다. 우리나라의 경우 경상수지가 흑자를 지속할 경우 국내로 유입되는 달러 자금이 기업과 개인의 투자를 활성화시켜 경기를 개선시키는 효과를 발생시킨다는 점에서 적정 수준의 환율에 대한 필요성이 강조되고 있다.

환율 1,145원 시기부터 경상흑자 폭 감소

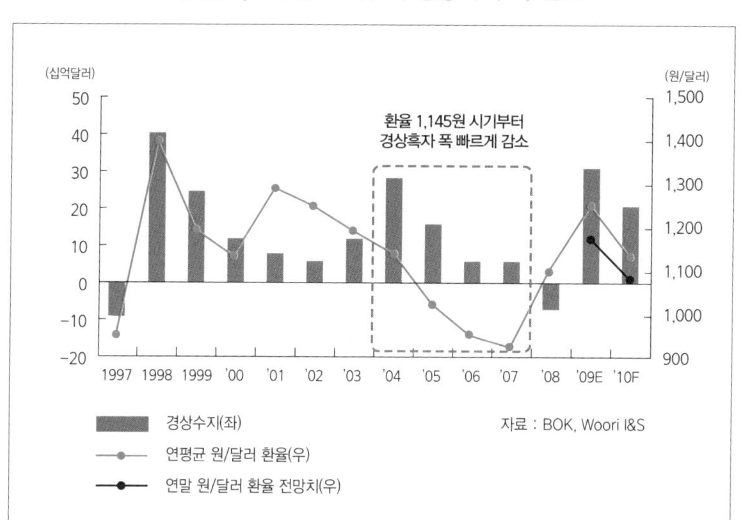

이는 경기판단에 있어서 하나의 중요한 지표로 인식될 수 있다. 즉 원화/달러 환율이 1,145원 이하로 하락해 원화가 강세를 보이면서 우리나라의 경상수지가 적자로 돌아서는 시점에서는, 향후 경기의 방향성이 하락전환 될 수 있다는 것을 인식해 위험자산의 비중을 줄이고 안전자산의 비중을 높일 것을 고려해야 한다는 의미이다.

3. 환율의 변화가 해외 자본 유출입(자본수지) 에 미치는 영향

일반적으로 외국인 투자자는 강세가 예상되는 통화에 자금을 유입하고 약세가 예상되는 통화에서 자금을 유출하는 것이 일반적이다. 이는 국제자본의 이동에 있어 중요한 것은 현재의 환율수준이 아닌 미래 환율에 대한 예상이라 할 수 있는 것이다.

외국인 투자자가 향후 환율상승(원화가치 하락)을 예상할 경우 원화자산의 수익률 증가가 예상되더라도 원화자산을 매도한 후 달러로 환전하게 될 때 과거에 비해 더 많은 원화를 지급해 달러를 매입해야 하기 때문에 환차손이 발생하게 된다.

2008. 10. 1	1달러 = 1,214.8원	환율상승(달러가치 상승) 원화가치 하락
2009. 3. 3	1달러 = 1,573.6원	

예를 들어 2008년 10월 1일 1달러를 원화로 환전해 1,214원을 수령해 주식에 투자해 2009년 3월 3일 주식을 매도한다고 가정하자. 이럴 경우 주식에서 이익이 발생했다고 하더라도 주식매각 자금으로 달러를 매입해 본국으로 송환할 경우 1달러를 1,573.6원을 주고 매입해야 하기 때문에 22.8%의 환차손을 보게 된다.

반대로 외국인 투자자가 향후 환율하락(원화가치 상승)을 예상할 경우 원화자산의 수익률이 상승하지 않더라도 원화자산을 매도한 후 달러로 환전하게 될 때 과거에 비해 더 적은 원화를 지급해 달러를 매입하면 되기 때문에 환차익이 발생하게 된다.

2009. 3. 3	1달러 = 1,573.6원	환율상승(달러가치 하락) 원화가치 상승
2018. 2. 28	1달러 = 1,083.0원	

예를 들어 2009년 3월 3일 1달러를 원화로 환전해 1,573.6원을 수령해 주식에 투자해 2011년 11월 4일 주식을 매도한다고 가정하자. 이럴 경우 주식에서 손실이 발생했다고 하더라도 주식매각 자금으로 달러를 매입해 본국으로 송환할 경우 1달러를 1,083원만 주고 매입할 수 있기 때문에 45.3%의 환차익을 보게 된다.

2008년 금융위기 이후의 외국인 자금 유출입을 살펴보면 환율과의 상관관계를 더욱 쉽게 이해할 수 있을 것이라 생각된다. 2007년 하반기 서브프라임 모기지 사태로 인해 주가가 급락하는 모습을 보였음에도 불구하고 환율은 큰 변화를 보이지 않았다. 하지만 금융위기를 촉발시킨 2008년 9월 리먼브라더스 사태 이전부터 환율은 상승의 기미를 보이다가 리먼 사태 이후 급격하게 상승하게 된다.

이는 외국인 투자자가 위험자산인 우리나라 주식시장에서 자금을 유출해 안전자산인 달러 자산인 미국 국채를 매입함으로써 환율상승(원화가치 하락)을 시현했기 때문이다.

결국 환율의 상승은 국내 원화자산의 수익을 감소시키는 요인으로, 환율의 하락은 국내 원화자산의 수익을 증가시키는 요인으로 이해해 볼 수 있는 것이다.

■ 주식시장에서 투자자가 주목해야 하는 환율의 수준은?

2000년대 이후 환율수준에 따라 외국인의 주식투자 행태를 살펴보면 적정 환율 수준에 대한 이해를 할 수 있을 것이라 생각된다.

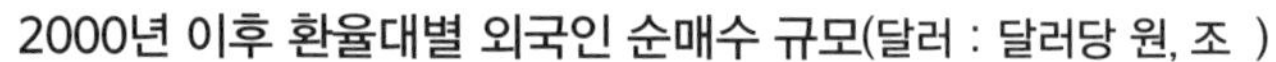
2000년 이후 환율대별 외국인 순매수 규모(달러 : 달러당 원, 조)

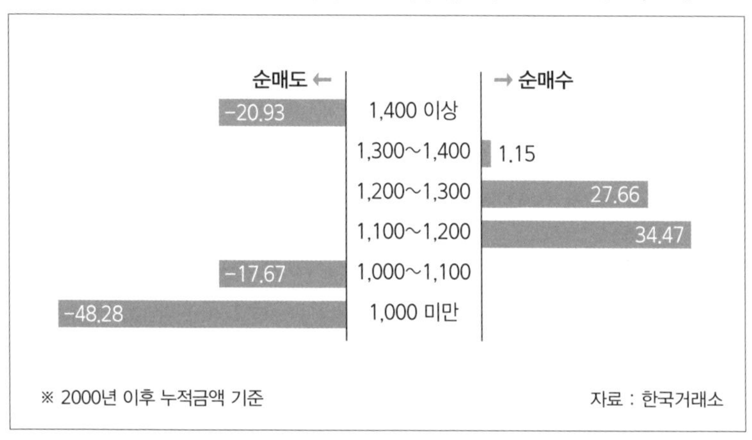

외국인 투자자는 원화/달러 환율이 1,400원 이상(원화가치 약세) 일 경우 우리나라 주식시장에서 매도세로 일관했음을 알 수 있다. 즉 이는 경기침체에 빠진 국가의 통화는 약세가 될 것이라는 합리적인

투자의견을 반영해 우리나라의 경기침체기에 원화가 약세가 될 것으로 예상해 주식 시장에서 자본을 유출한 것으로 이해할 수 있다.

반면 원화/달러 환율이 1,100원 이하로 강세를 보였을 때 더 이상의 환차익을 기대하기가 어려워 우리나라 자본시장에서 자본을 유출하는 모습을 보이고 있다.

실제로 2000년도 이후 외국인 투자자가 우리나라 주식시장에 많은 자금을 투입한 환율대는 1,100원에서 1,300원의 환율대 였음을 알 수 있다. 원화가 약세에서 강세로 전환한다는 것은 그만큼 경기가 다른 국가에 비해 좋다는 것에 대한 반증일 수 있으며 아울러 환차익도 기대할 수 있다는 측면에서 외국인 투자자금이 국내 주식시장으로 유입되는 모습을 보였다.

만약 환율이 1,300원 이상으로 상승(원화가치가 하락)한다면 경기침체를 예상해 포트폴리오를 안전자산으로 전환할 필요성이 있다. 또한 환율이 1,100 원 이하로 하락(원화가치가 상승)할 경우 또한 외국인 투자자 입장에서 환차익에 대한 기대치가 감소해 주식시장에서 자금을 유출할 가능성이 있다는 점을 고려해야 한다.

4. 환율의 변동에 부합하는 투자분야 선정하기

경제내외부의 요인에 의거한 환율의 변동에 따라 투자가 적합한 분야를 분류해 낼 수 있어야 한다.

첫째, 환율의 변동이 경상수지에 미치는 영향을 고려하여야 한다. 환율이 상승할 경우 일반적으로 수출은 단가하락에 의한 수출물량 증대로 증가하는 한편, 수입은 수입가격의 상대적 상승에 따라 감소함으로써 국가 전체적으로 무역수지가 개선되는 모습을 보인다. 또한 원달러 환율이 상승하게 되면 해외여행이나 미국유학 등이 감소하게 되고, 외국인들의 국내 관광이 증가하는 등 달러의 지출을 줄어들고, 달러의 유입은 늘어나게 된다.

둘째, 환율과 물가에 관련된 사항을 동시에 고려하여야 한다. 환율이 하락할 경우(원화가치 강세) 수입상품의 원화가격이 하락하고 이에 따른 생산원가 하락으로 국내물가가 하락할 수 있다.

우리나라와 같이 수입의존도가 높은 국가의 경우 환율변동이 국내물가에 미치는 영향을 더욱 커질 수 밖에 없음을 인식하여야 한다.

셋째, 환율변동과 관련해 달러표시 부채가 많은 기업의 투자에 유의해야 할 필요성이 있다. 환율이 상승할 경우(원화가치 하락) 달러표시 부채가 많은 기업의 경우 더 많은 원화를 투입해 달러를 매입하여야 하기 때문에 오히려 원화환산의 부채는 더욱 증가하는 모습을 보이게 된다, 반대로 환율이 하락할 경우(원화가치 상승) 달러표시 부채가 많은 기업은 더 적은 원화를 투입해 달러를 매입할 수 있기 때문에 원화 환산 부채는 더욱 감소하는 모습을 보이게 된다.

국내에서 달러표시 부채가 많은 기업으로 항공사 등을 그 예로 들 수 있다. 항공사의 경우 환율 하락(원화가치 상승) 시 원화환산부채가 감소함과 동시에 해외 여행객의 증가로 이익의 급증하는 모습을 보이게 된다. 반대로 환율상승(원화가치 하락)시 원화환산 부채 증가와 더불어 해외 여행객 감소로 인한 이익 급감을 경험하게 된다.

이러한 환율변동의 영향을 간단하게 표로 요약해 보면 아래와 같다.

구 분	환율하락(원화가치 상승)	환율상승(원화가치 하락)
수 출	수출감소 (수출 채산성 악화)	수출증가 (수출 채산성 호전)
수 입	수입증가 (수입상품가격 하락)	수입감소 (수입상품가격 상승)
국내물가	물가안정 (수입원자재 가격 하락)	물가상승 (수입원자재 가격 상승)
외자도입기업	원화환산 외채 감소 (상환부담 축소)	원화환산 외채 증가 (상환부담 증가)

07

물가를 이해해야 제대로 된 투자를 할 수 있다

경제학적인 측면에서 물가는 '시장에서 거래되는 모든 상품의 가격을 일정한 기준에 따라 평균한 종합적인 가격수준'을 의미한다고 정의된다. 이러한 정의에 근거한 물가지수는 물가의 움직임을 한눈에 알아볼 수 있게 숫자로 나타낸 것으로 이해할 수 있는데, 물가지수는 경제동향 분석이나 투자행위에 있어 필수적인 기초자료로 활용 될 수 있어 이에 대한 이해를 제대로 할 수 있어야 한다.

1. 물가에 대한 기본 개념의 이해

물가는 쉽게 말해 '물건의 가격'이라고 표현해 볼 수 있다. 경제가 전년 대비해서 성장하는 것이 일반적이라는 점을 감안할 때, 경제성장에 따라 물가 또한 일반적으로 상승하는 모습을 보이게 된다. 이렇게 일반 물가 수준이 지속적으로 상승하는 현상을 '인플레이션'이라고 말한다.

물가를 경기와 연계해 이해해보자. 예를 들어 경기가 상승하게 되면 시장 투자자들의 소득은 일반적으로 증가하는 모습을 보이게 될 것이다. 이러한 소득의 증가는 가계의 소비를 증가시키게 되고 가계의 소비증가는 가계가 구입하는 물건의 가격을 상승시키는 모습을 보일 것이다. 즉 경기가 좋아짐에 따라 일반적으로 물가는 상승하는 모습을 보이게 되는데 이를 바로 인플레이션으로 이해할 수 있게 된다. 즉 경기가 좋아지게 되면 인플레이션이 발생하게 된다는 것이다.

반대로 경기가 침체기로 접어들게 되면 시장 투자자들의 소득은 감소하게 되고 이에 따라 가계의 소비는 줄어들게 된다. 이러한 소비 침체는 기업의 물건가격 하락 압력으로 작용하게 되고 이에 따라 시중의 물가는 하락하는 모습을 보이게 된다. 이처럼 경기의 하락과 더불어 물가가 하락하는 것을 '디플레이션' 이라고 한다.

이렇듯 물가는 경기의 부침에 따라 인플레이션과 디플레이션이라는 상황으로 나타나게 되는데, 이 2가지 상황은 어떻게 보면 당연한 상황이라고 언급할 수 있다. 하지만 경우에 따라서 경기 상황과 어긋나는 물가의 움직임이 나타나고는 하는데 이에 대한 개념을 이해해 볼 필요성이 있다.

그 첫 번째로 '디스인플레이션' 을 들 수 있다. 경제학적인 측면에서 디스인플레이션은 경기순환 과정에서 인플레이션에서는 벗어났지만 디플레이션에는 빠져있지 않은 상태를 의미한다. 이를 조금 더 쉽게 표현해보자면 경기가 매우 좋은 상황에서는 인플레이션이 발생하는 것이 당연한데 오히려 물건가격이 하락하는 모습을 보이는 현상으로 표현해 볼 수 있다. 이는 2000년대 초반에서부터 중반까지의 세계경제 호황을 그 예로 들 수 있다.

과연 어떻게 이러한 비정상적인 상황이 가능하게 되었을까 ? 이러한 경제호황의 배경에는 중국의 역할이 지대하다고 볼 수 있다. 2000년대 초반 IT 버블로 초래된 경기침체를 극복하기 위해 당시 미국 중앙은행의 수장이었던 앨런 그린스펀은 6.5%대의 정책금리를 1년만에 1%대의 금리로 낮춰 시중에 유동성 자금을 공급하게 된다. 시중에 풍부한 유동성 자금이 증가하면서 주식과 부동산 등의 자산가격이 상승하게 되고, 이러한 자산가격 상승에 힘 입어 경기는 점차로 개선되는 모습을 보이게 된다. 미국경기의 개선은 전 세계경제의 개선을 이끌어내면서 전 세계적인 호황이 구가되기 시작한다. 일반적인 상황에서 경기의 상승은 물가의 상승을 이끌어내면서 인플레이션이 발생하게 되는데, 이 당시 세계경제의 제조업 공장이라고 불리는 중국에서 값싼 물건을 전 세계에 공급함으로써 물가의 상승을 억제하게 된다. 경기가 좋아져 소득과 소비가 동시에 증가하는 상황에서 전 세계적으로 값싼 물건이 지속적으로 공급되니 높아진 소득으로 더 싼 물건을 더욱 많이 소비하는 상황이 전개되면서 세계경제의 호황은 2005년대 후반까지 지속되는 모습을 보이게 된다.

이 시기의 세계경제를 일반적으로 '골디락스'의 시대라고 언급하는데, 이 용어는 영국의 전래동화 《골디락스와 곰 세 마리 goldilocks and the three bears》에 등장하는 소녀의 이름에서 유래한 용어로, 본래는 골드(gold)와 락(lock, 머리카락)을 합친 말로 '금발머리'를 뜻한다. 동화에서 골디락스는 곰이 끓인 세 가지의 수프, 뜨거운 것과 차가운 것, 적당한 것 중에서 적당한 것을 먹고 기뻐하는데, 이것을 경제상태에 비유하여 뜨겁지도 차갑지도 않는 경제 호황을 의미하는 용어로 사용되고 있다.

하지만 이러한 호경기의 시대가 계속될 수는 없는 것이 당연한 일. 전세계적인 경제호황은 성장을 위한 원자재에 대한 수요를 증가시켜 원자재 가격의 급상승을 초래하였으며, 이러한 원자재 가격의 상승은 제품원가 상승을 이끌어 내면서, 물가상승의 기조를 더욱 강화시켜 나가게 된다. 2008년 7월 유가는 WTI 기준으로 배럴당 144 달러까지 상승해 고물가를 부추기게 된다. 여기에 더불어 세계경제의 제조업 공장이라고 불리던 중국이 저가 대량생산의 제조업 정책에서 고부가가치 산업으로 경제성장의 기조를 바꾸면서 시중에 저가 물품의 공급량이 줄어들게 되면서 물가는 더욱 상승하는 모습을 보이게 된다.

이러한 시점에서 서브프라임 사태로 대변되던 미국의 부동산 버블이 결국 터지면서 시장은 경기침체에 대한 우려로 접어들게 되었는데, 경기가 침체될 것으로 예상되면 기업의 입장에서는 재고품의

해소를 위해 상품가격을 낮춰야 함에도 불구하고, 당시의 원자재 가격 급상승으로 인한 원가부담으로 인해 상품가격의 하락이 용이하지 않은 상황에 직면하게 된다. 즉, 경기 침체기의 상황에서 기업이 물건가격을 낮추지 못하는 상황이 발생하게 되었는데, 이처럼 불황에도 불구하고 물가가 상승하는 형태의 인플레이션을 '스테그플레이션'이라고 한다.

스테그플레이션의 상태는 그야말로 최악의 상태라 말하지 않을 수 없다. 경기가 침체하게 되면 가계의 소득이 감소하게 되며, 이에 따라 기업이 상품의 가격을 낮춰야 기존 재고품의 처리가 가능하게 되는데 상품가격이 오히려 상승할 경우 가계는 더욱 더 소비를 감소시켜 경기는 더욱 침체가 되는 상황이 도래하기 때문이다. 하지만 과거의 역사를 돌아볼 때 스테그플레이션의 상황은 자주 발생하는 상황은 아니다. 미국의 경제사 속에서도 스테그플레이션은 2차례의 오일쇼크 및 리먼 사태의 초기국면에서의 발생 등 채 3회 이상 발생하지 않았음을 알 수 있다. 이는 경기침체가 지속되게 되면 결국 원자재에 대한 수요 또한 감소해 원자재 가격이 하락하게 되고, 이에 따라 제품의 원가가 하락해 결국은 상품가격이 하락하는 디플레이션의 상황으로 접어들게 되면서 경기침체기의 정상적인 상황으로 돌아오기 때문임을 알 수 있다.

2. 인플레이션이 발생하게 되면 어떻게 될까?

인플레이션은 소득분배 및 자원배분을 왜곡시키고 민간의 저축과 투자를 위축시켜 국가경쟁력을 약화시킨다는 점에서 금융당국에서 매우 관심 있게 지켜보는 정책적 과제로 볼 수 있다. 우리나라의 경우 물가관리를 중앙은행의 제1목표로 삼고 있음은 인플레이션에 대한 위험성을 중앙은행이 매우 심각하게 받아들이고 있음을 표현하고 있는 것이다. 이러한 인플레이션에 의거해 어떠한 문제점이 발생하는지 살펴볼 필요성이 있다.

■ 실질소득의 감소

물가가 상승할 경우 실질소득이 감소한 것과 같은 효과가 발생하게 된다. 따라서 수입이 고정되어 있는 사람의 경우 큰 손실을 입는 반면, 부동산이나 원자재 등의 실물자산을 소유한 사람들의 경우 실물자산 가치의 상승에 따라 이익이 증가하게 된다. 또한 물가의 상승은 실질금리를 하락시켜 가계의 금융저축을 축소시키고, 물가를 잡기 위해 금융당국이 명목금리를 상승시키게 되어 기업의 자금수요 또한 위축시켜 실물경제의 침체를 유발하기도 한다.

■ 소득 및 부의 분배에 악영향

물가가 오를 경우 예금, 채권 등의 금융자산을 보유한 자는 물가가 오른 것만큼 금융자산의 가치가 하락하게 되어 손해를 보는 반면, 과도한 금융채무를 지닌 자는 물가상승으로 인해 부채가치가 하락하게 되어 이익을 보게 된다.

맥스 샤피로가 지은 '인플레로 돈 버는 사람들' 이라는 책을 보면 1차 세계대전 이후 Hyper inflation이 발생한 독일에서 일부 관료와 투자자들이 어떻게 부자가 되었는지를 잘 설명하고 있다. 1차 세계대전 이후 전쟁배상금에 대한 부담을 지고 있던 독일 당국은 전쟁배상금 상환을 위해 무제한으로 화폐를 찍어내면서 hyper 인플레이션이 발생하게 되는데, 이러한 인플레이션 발생시점 직전 일부 관료와 투자자들은 그들이 부담할 수 있는 최대한의 한도 내에서 과도한 부채를 지면서, 이러한 부채로 실물자산에 투자하게 된다.

인플레이션 발생에 의한 실물자산의 급격한 상승은 별도로 하고서도, 인플레이션의 급격한 상승에 따른 실질부채 부담의 축소는 과도한 부채를 진 채 실물자산에 투자한 투자자들의 자산을 더욱 급격하게 상승시키는 효과를 가져오게 된다. 즉 예금 보유자의 부를 과다 채무보유자(실물자산 투자자)의 부로 이전시키는 좋지 않은 경제효과를 유발시킨 것이다.

■ 국제수지에 영향

국내물가가 상승할 경우 해외 수출 시장에서 우리나라의 상품가격이 외국 상품가격에 비해 상승하기 때문에 가격경쟁력의 약화를 초래하게 된다. 반면 국내시장에서는 수입상품의 가격이 상대적으로 저렴해지므로 수입이 증가하게 된다. 이처럼 물가상승은 수출의 감소 & 수입의 증대를 초래하게 되면서 경기를 악화시키게 된다.

3. 각각의 물가에 대응하는 올바른 투자전략은?

우선 물가가 지속적으로 상승하는 인플레이션의 상황 하에서는 화폐성 자산에 대한 투자보다는 부동산이나 원자재 등의 실물자산에 투자하는 것을 고려해야 한다. 인플레이션이라는 것 자체가 화폐가치의 하락을 의미하는 것이기 때문이다.

인플레이션의 원인이 경기개선에 의한 것이냐, 물가상승에 의한 것이냐를 구분해 투자대상 선정에 주의를 기울여야 할 필요성이 있다. 경기개선에 의한 측면에서의 물가상승일 경우 부동산, 원자재, 주식 등의 위험자산에 대한 투자비중을 높이는 것을 고려할 필요성이 있다. 향후 경기상승에 따른 자산가치 상승을 기대할 수 있기 때문이다.

반면에 물가 상승에 따른 인플레이션일 경우에는 안전성을 담보한 변동금리부 채권이나 물가상승 연동 국채 등을 고려해 볼 필요성이 있다. 변동금리부 채권의 경우 물가상승에 의거 시중의 명목 금리가 상승할 경우 채권의 금리 또한 상승해 물가상승에 대응할 수 있게 된다. 물가연동 국채란 물가가 오르는 만큼 원금이나 이자를 올려줌으로써 물가상승분 만큼 실질가치를 보장해주는 국채를 말한다. 예를 들어 표면금리는 3.1% 정도인데 물가가 2.5% 오를 경우 실질수익률은 둘을 합친 5.6%가 되고 물가상승분에 따른 수익에는 비과세 혜택을 주기 때문에 결국은 8%이상의 예금수익률과 비슷한 효과를 얻을 수 있게 된다.

인플레이션의 상황하에서는 채권의 투자는 가급적 지양할 필요성이 있다. 시중 금리가 상승할 경우 채권의 가격은 하락하기 때문이다.

반대로 디플레이션의 상황이 도래할 경우 경기침체를 감안한 안전자산으로의 투자, 특히 채권에 대한 투자를 염두에 둘 필요성이 있다. 경기가 침체될 경우 일반적으로 사람들의 물가에 대한 기대치(기대 인플레이션)이 낮아져 시중의 명목금리는 하락하는 모습을 보이게 된다. 중앙은행 또한 경기침체 극복을 위해 정책금리를 낮추는 통화완화정책을 시행할 가능성이 높다. 이렇게 금리가 하락할 때 이익을 보는 자산은 채권이다. 왜냐하면 채권은 이자율의 방향과 반대방향으로 움직이기 때문이다. 즉, 이자율이 상승하게 되면 채권 가격은 하락하게 되고 반대로 이자율이 하락할 경우 채권가격은 상승하는 모습을 보인다. 따라서 경기침체와 더불어 물가가 하락하는 디플레이션의 시기에는 채권에 대한 투자비중을 높이는 것이 타당하다.

경기가 상승하면서 동시에 물가가 하락하는 디스인플레이션 국면에서는 주식 등의 위험자산에 대한 투자를 증가시킬 필요성이 높다. 경기가 좋아지는 상황에서 물가가 하락할 경우 사람들의 소비가 더욱 증가해 경기를 더욱 호황으로 이끌 수 있기 때문이다. 경기가 좋을 경우 기업의 이익이 급증하게 되고 이에 따라 주가는 더욱 상승할 가능성을 높이게 된다.

경기침체와 더불어 물가 상승하는 스테그플레이션 국면에서는 현금을 보유하는 전략이 타당하다. 스테그플레이션 상황에 직면하게 되면 각종 자산가격이 급락해 우량자산을 싸게 매입할 수 있는 기회가 증가하기 때문이다.

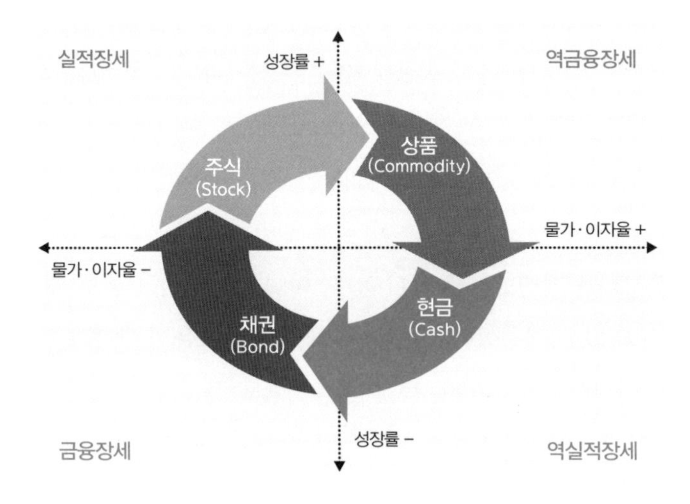

Chapter 03

정부를 믿고 투자하라

01

금융위기 극복의 선두주자 – 정부, 중앙은행

경기를 의미하는 GDP의 각 구성요소 중 정부의 역할은 경기 침체기에 매우 중요한 역할을 수행함을 인식해야 한다.

$$Y = C + I + G + [X - M]$$

구분	소비 Consumption	투자 Investment	정부지출 Government Expenditure	수출 Export	수입 Import
고려 사항	• 가처분 소득 • Wealth effect • 부채수준	• 설비투자 • 재고투자 • 건설투자	• 재정정책 • 통화정책	• 물가 • 환율 • 국민소득	

2008년도의 금융위기 시대로 돌아가보자. 금융위기로 인해 가계의 실직이 급증하게 되고 이에 따라 가계의 소득이 감소하면서 소비는 급격하게 위축되는 모습을 보이게 된다. 기업 또한 불안한 미래로 인해 투자규모를 급격하게 축소시키게 된다. 전 세계적인 금융위기로 인해 우리나라의 수출 또한 감소하는 모습을 보였으며, 당시 배럴당 144달러에 이르는 WTI의 고유가는 수입을 증가시키는 모

습을 보여 경상수지 적자의 시대로 접어들게 만들었다.

가계와 기업 등의 경제주체가 모두 미래를 불안해 하는 위기의 상황을 타개해 나가기 위해 각종 정책을 시행해야 할 책임을 지는 것이 바로 정부이다. 각국의 정부는 당시의 경기침체를 극복하기 위해 재정정책과 통화정책이라는 수단을 사용해 2008년 월가발 세계 금융위기라는 암흑의 터널을 통과하는 역량을 보여준 바 있다.

본 장에서는 정부의 경기침체를 극복하기 위한 수단으로 언급되는 총 수요 관리정책의 의미를 살펴보고, 2008년 금융위기를 극복하기 위해 각국 정부가 어떠한 정책을 활용해 금융위기를 벗어났는지 살펴보기로 한다. 또한 최근 통화정책의 성공사례로 언급되는 미국의 경제 상황 및 자산시장을 살펴보면서 미국의 금리인상을 어떠한 시각으로 이해해야 할지를 고민해 보고자 한다.

02

총수요 관리정책이란 무엇인가?

정부정책을 언급하기 이전에 경제학의 기본인 수요공급의 원칙에 대한 이해를 새롭게 할 필요성이 있다. 아래 그래프에서 X축은 소득을 의미하며, Y축은 물가를 의미하게 되는데 총 공급곡선은 우 상향하는 모습을, 총수요곡선은 우 하향하는 모습을 보이게 된다.

이 중 총수요곡선이 의미하는 것이 바로 GDP(국내 총생산 = 경기)라 이해할 수 있다.

총 수요 = GDP = C(소비) + I(투자) + G(정부지출) + 순수출(X 수출 – I 수입)

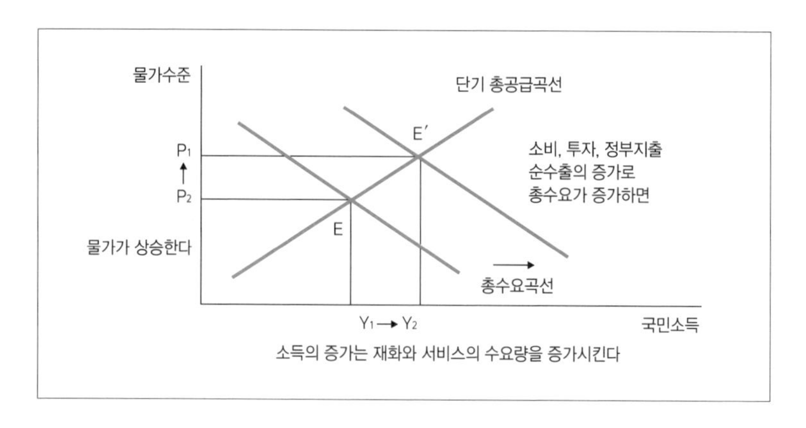

실제로 정부는 경기가 침체기로 접어들 경우 총수요곡선을 오른쪽으로 이동시켜 국민의 소득을 증가시키게 된다. 정부의 정책으로 국민의 소득이 증가할 경우 개인의 소비가 증가하게 되며, 이러한 소비의 증가는 기업의 투자를 개선시켜 경기를 활성화하게 된다. 반대로 경기가 활황기에 있을 경우 정부는 총수요곡선을 왼쪽으로 이동시켜 국민의 소득을 감소시켜 가계의 소비를 줄이게 되고, 감소된 소비는 기업의 투자를 위축시켜 경기과열을 억제하게 되는 것이다.

이처럼 정부가 총수요를 조절하는 총수요곡선의 이동을 통해 경기를 조절하는 것을 총 수요 관리정책이라고 한다. 이러한 총수요 관리정책은 정부의 세입과 세출의 조정을 통해 수요를 조정하는 재정정책과 통화량과 이자율의 조정을 주 정책수단으로 하는 통화정책으로 나누어 볼 수 있다.

1. 재정정책의 활용을 통한 정부의 경기조절

정부는 세입과 세출의 조정을 통해 경기를 조절한다. 경기가 침체를 보일 경우 정부는 수입을 줄이고 지출을 늘리는 정책을 시행해 국민의 가처분 소득을 증가시키게 된다. 이러한 국민 소득의 증가는 소비 진작과 투자개선에 따른 고용증대를 통해 경기를 활성화하는 근원으로 작용하게 된다. 반대로 경기가 활황을 보일 경우 정부는 수입을 늘리고 지출을 줄이는 정책을 시행해 국민의 가처분 소득을 감소시킨다. 이러한 가처분 소득의 감소는 과열된 시장을 억제해 경제를 정상화하는데 일조하게 된다.

재정 정책의 효과

재정정책			→	효 과		→	경기에 미치는 영향
지출	세입	재정		투자	고용		
억제	증세	흑자		축소	감소		경기과열 억제
증대	감세	적자		확대	증가		경기부양

2008년 금융위기 극복과정에서 MB 정부가 가장 먼저 취한 정책은 부동산에 대한 각종 세금완화, 소득세율 인하 등의 정부 세입(조세)을 축소한 일이었다. 이와 동시에 희망근로사업의 시행, 4대강 등의 하천정비사업의 추진을 통한 정부지출의 증대 정책을 동시에 시행해 경기를 부양하고자 하는 모습을 보였다.

'증세 없는 복지'로 대변되는 박근혜 정부의 재정정책 또한 경기침체를 극복하기 위해 정부의 세입은 증대시키지 않은 체 지출은 유지하는 확장적 재정정책에 다를 바가 아님을 알 수 있다.

2008년 세제개편안의 주요내용(일자리 창출을 위한 경제 재도약 세제)

구 분	환율상승(원화가치 하락)
중/저소득층 민생안정 및 소비기반 확충지원	소득세율 단계적 인하(2%) 유가환급금 지급
투자촉진을 위한 저세율 구조로의 전환	법인세율 인하 중소기업 특별세액감면 일몰연장
불합리한 조세체계개선	양도소득세 과세제도 합리화 - 고가주택 기준 인상(6억→9억) - 1세대 1주택 장기보유공제 확대 (8~80%) - 종합부동산세 제도개선

※ 세제개편안에 의거 11.7조 상당의 재정적자가 발생할 것으로 추정되었음

■ 재정정책 시행과 관련한 2가지 문제점

재정정책의 시행과 관련해서는 재정적자 심화에 따른 국가부채 악화 문제와 정책 시행시기와 정책효과의 불일치로 인한 경기상황 왜곡 등의 현상을 들 수 있다.

■ 재정적자의 심화로 인한 국가부채 악화

경기침체 극복을 위한 정부의 재정정책에 있어서의 문제점 중 하나는 바로 재정적자가 심화된다는 점이다. 이는 정부의 세입을 줄이고 지출을 늘렸기 때문에 발생하는 자연스러운 일이다.

재정정책을 통해 경기 개선이 이루어지게 될 경우 국민과 기업의 소득이 증가하게 되면 자연스럽게 정부의 세입이 증가하게 될 것이다. 또한 경기개선에 따라 고용사정이 좋아지게 될 경우 정부가 기존에 시행했던 희망근로사업 등의 실업대책을 활용하지 않게 됨에 따라 정부지출도 감소하는 모습을 보일 것이다. 이렇게 되면 자동적으로 정부의 수입이 증가하고 지출이 감소하게 되어 재정적자의 폭이 감소해 정부는 균형재정을 이룰 수 있게 된다. 이를' 재정의 자동안정화 기능'이라고 부르는 것이다.

문제는 경기개선의 폭이 그리 크지 않을 때 발생한다. 경기회복세가 적정수준에 이르지 못할 경우 국민과 기업의 소득 증가폭이 미미하게 되어 정부의 세입 증가는 기대할 수 없게 된다. 경기회복세가 미약하다면 정부의 실업대책 또한 지속적으로 시행되어야 할 가능성이 높아지게 된다. 즉 세입은 늘지 않고 지출이 그대로 지속된다면 재정적자의 폭은 더 커질 수밖에 없다.

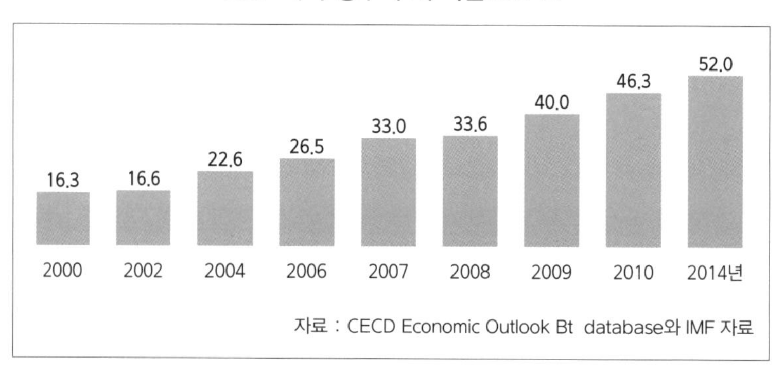

커가는 재정적자는 결론적으로 정부의 확장적 재정정책의 활용을 저해하게 되며, 이는 결국 경기회복의 2대 Tool 중 하나의 활용을 포기할 리스크를 높인다는 점에서 시장의 수많은 전문가들로 하여금 경기회복에 대한 악재로 받아들이게 되는 것이다.

■ 정책의 시행시기와 정책 효과의 불일치로 인한 경기 왜곡

재정정책과 관련한 또 하나의 문제점은 바로 재정적자가 심화된다는 점이다. 일반적으로 재정정책을 수행하기 위해서는 추가경정예산을 편성해 정책을 시행하게 된다. 즉, 정책의 시행 이전에 예산편성이 먼저 이루어져야 하는데 이를 위해선 국회의 동의가 필수적이다. 결국 예산안이 국회의 동의를 얻은 후에야 정책집행이 가능한데 국회동의가 원활하게 이뤄지지 않을 경우 제때 에 정책이 시행되지 못하는 결과를 초래하게 된다. 즉, 경기가 최악의 상황일 때 재정정책이 활용되어야 그 효과를 크게 볼 수 있는데, 국회 동의 절차가 늦어져 정책집행 시기가 뒤로 늦춰지게 되면 오히려 경기가 회복기미를 보이는 상황에서 예산집행이 이루어져 경기의 진폭을 더욱 크게 만드는 부작용이 발생 할 수 있다는 것이다. 이에 대해 재정정책의 경우 내부시차(정책의 의사결정기간)는 길지만, 외부시차(정책의 효과)는 짧다는 것으로 표현할 수 있음을 주지해야 한다.

2. 통화정책의 활용을 통한 중앙은행의 경기조절

통화정책이란 중앙은행이 통화량이나 금리를 조절하여 경제의 안정기조를 달성하는 정책수단이다. 과거 통화정책의 목표는 국제수지 균형, 물가안정, 경제 성장 등으로 다원화 되어 있었으나 최근에는 물가안정으로 단일화 되는 모습을 보였다. 이는 장기적으로 볼 때 통화정책은 실물경제에 영향을 줄 수 없고 오직 물가에만 영향을 미친다는 통화주의 학파의 창시자 밀턴 프리드먼의 가설에 이론적 근거를 두고 있다. 최근 대부분의 중앙은행은 이러한 주장을 받아들여 물가안정을 통화정책의 가장 중요한 목표로 삼고 있는데, 우리나라의 중앙은행인 한국은행 또한 물가안정을 최우선 목표로 삼고 있다.

중앙은행의 역할과 관련해 가장 중요하게 언급되는 것이 바로 최종대부자의 기능이라는 것이다. 금융시스템의 불안으로 인해 금융시장의 유동성이 급작스럽게 부족해질 경우 중앙은행이 발권력(화폐를 발행할 수 있는 능력)을 즉시 발휘해 시장에 충분한 통화를 공급함으로써 금융시스템의 위기에서 벗어날 수 있기 때문이다.

1) 통화정책의 수단

통화정책의 수단은 크게 직접조절수단과 간접조절수단으로 구분된다. 직접 조절수단은 정책당국에 부여된 행정적 권한을 통해 수행되는 것으로 은행 여수신 금리를 규제하거나 은행대출 규모를 일일이 통제하는 것을 예로 들 수 있다. 간접조절 수단은 시장 친화적인 정책수단으로서 중앙은행이 본원통화의 조절을 통해 시중의 통화량을 조절하고자 할 때 사용되는 정책수단이다. 현재 한국은행은 일상적 통화정책 수행을 모두 간접조절수단에 의존하고 있는 상황이다.

2) 간접조절 수단의 종류

① 중앙은행 대출정책(재할인 정책)

중앙은행은 시중 은행이 유동성 부족으로 곤란을 겪을 경우 시중은행에 자금을 대출해주게 되는데 이를 중앙은행 대출정책이라고 한다. 중앙은행은 시중에 유동성 자금이 풍부하다고 판단되면 대출금리를 높여 시중의 유동성 자금을 흡수하고, 반대의 경우에는 대출금리를 낮춰 시중에 유동성 자금을 공급하게 된다.

중앙은행 대출정책은 시중 금융기관의 입장에서 선호되는 방법은 아니다. 시중은행이 중앙은행으로부터 자금을 차입했다라는 사실 자체가 시장 투자자들에게 자금 동원능력이 부족함을 입증 하는 것으로 비춰질 수 있기 때문이다.

따라서 이 방법은 금융시스템 불안정으로 금융기관의 자금융통이 곤란해 질 경우에 활용되는 것이 일반적이다. 2008년 금융위기 당시 금융기관들이 대출을 꺼려 돈이 돌지 않는 신용경색 사태가 발생했을 때 미국의 FRB는 유동성 부족으로 곤란을 겪는 시중 은행에게 대출금리를 낮춰 자금을 공급하는 모습을 보이면서 시장의 최종 대부자로서의 대출 기능을 확인시킨 바 있다.

한편 개발도상국의 경우 재할인제도는 고도성장을 뒷받침하기 위한 통화공급의 창구로 활용되어 왔다. 한국은행의 재할인제도 또한 정책금융의 주요 통로가 되었는데, 이 제도 하에서 은행이 특정 부문에 대출을 시행할 경우 한국은행은 이 대출 중 일부 자금을 낮은 금리로 은행에 자동으로 지원하였다. 그러나 이러한 방식은 과도한 통화증가로 인한 인플레이션의 발생을 초래하였으며 시장의 원리와 가격기능에 입각한 통화정책 수행에 장애를 일으켜 1994년 이후 총액한도 대출방식으로 대체된 바 있다.

② 지급준비율 정책

지급준비정책은 금융기관으로 하여금 고객의 예금 인출에 대비해 일정 비율에 해당하는 금액을 중앙은행에 강제 예치하도록 규정한 정책이다. 이 정책은 19세기 말 금융기관 파산으로부터 예금자를 보호할 목적으로 도입되었으나 법정 지급 준비율을 변경시킴으로써 시중의 통화량이나 금리를 변동시켜 유동성 조절이 가능하다는 사실이 알려지면서 통화정책의 주요 수단으로 대두되었다.

경기가 침체국면으로 접어들면 중앙은행은 지급준비율을 낮춰 시중은행의 대출 여력을 증가시켜 경기를 부양하게 된다. 반면 경기가 활황국면으로 접어들면 지급준비율을 높여 시중 은행의 대출여력을 감소시켜 과열을 억제하고자 한다.

이러한 지급준비정책은 법적인 구속력이 있고 일단 결정된 지급준비율은 상당 기간 동안 지속되므로 강력하고 중장기적인 정책 수단이라 할 수 있지만 몇 가지의 한계로 인해 최근에는 그 활용빈도가 낮은 수준이다.

- 지급준비율은 자주 변경되기 때문에 경제상황 변화에 따른 대응력이 떨어진다.
- 모든 금융기관에 대해 무차별적이고 획일적으로 적용되기 때문에 개별 은행간의 차이를 감안할 수 없다.
- 지급준비금은 무이자이므로 금융기관의 수지를 악화시키는 요인으로 작용할 뿐만 아니라 지급준비의무가 없는 타 금융기관과의 형평성 문제 또한 발생될 수 있다.

중국의 중앙은행은 폭등하는 부동산 가격을 잡기 위해 몇 개월에 걸쳐 지속적으로 지급준비율을 상향하는 정책을 사용하곤 한다. 일반적으로 급등하는 부동산 가격을 잡기 위해 정책금리를 사용하는 정책은 잘 사용되지 않는다. 금리를 올리는 행위 자체가 부동산 가격 억제에만 작용하는 것이 아니라 경제 전반에 걸쳐 자금을 조이는 효과를 발생시킬 수 있기 때문이다.

따라서 부동산 가격 상승을 잡기 위해 주로 사용되는 정책으로서 지급준비율 정책이 주로 활용된다.

지급준비율의 상향은 시중은행의 대출여력을 감소시켜 부동산으로 흐르는 자금 유입을 차단하여 부동산 가격의 급등을 억제함으로써 중국에서는 부동산 가격의 하향 안정화의 대안으로 인정되고 있다.

③ 공개시장조작 정책

공개시장조작 정책은 중앙은행이 국채나 정부가 지급을 보증한 유가증권 등의 매매를 통해 금융기관의 자금사정을 변화시킴으로써 통화량과 단기 시장금리를 조절하는 정책수단이다.

경기가 침체국면으로 접어들면 중앙은행은 국공채 등을 매입해 시중에 유동성 자금을 공급해 경기를 부양하게 되고, 반대의 경우에는 국공채 등을 매각해 시중의 유동성 자금을 흡수해 경기과열을 억제하고자 한다.

이 정책은 간접조절수단 중 현재 중앙은행의 가장 핵심적이고 보편적인 정책수단이라 할 수 있다. 그 이유는 공개시장조작의 시기, 규모, 조건, 대상 등을 정책당국이 신축적으로 조정할 수 있어 금융시장 상황을 미세조정 하는데 적합하기 때문이다.

한국은행은 공개시장조작을 위해 통화안정증권과 국채의 환매조건부 매매의 2가지 수단을 활용하고 있다. 통화안정증권은 14일~2년의 만기를 지니고 있는데, 일단 발행되면 만기상환 하는 것이 일반적이므로 가장 중요한 유동성 조절수단이라 할 수 있다. 예를 들어 한국은행이 5,000억원 규모의 통화안정증권을 발행한다면 시중유동성은 5,000억 감소하게 된다. 한편 국채의 환매조건부 매매는 국채를 담보로 자금을 대차하는 형식으로 이뤄진다. 예를 들어 한국은행이 시중의 자금을 흡수하고자 한다면 환매조건부 채권을 매각해 한국은행이 보유하고 있는 국채를 담보로 제공하고 금융기관으로부터 자금을 차입하고, 반대의 경우라면 환매조건부 채권을 매입해 한국은행이 금융기관으로부터 국채를 담보로 잡고 자금을 공급하게 된다.

한국은행의 공개시장조작 정책은 년 8회 금융통화위원회가 결정하는 정책금리 목표수준을 유지하는 것을 목적으로 운영된다.

3. 통화정책이 자산시장에 미치는 영향은?

통화정책이 자산시장에 미치는 영향 (요약)

통화정책		통화량	이자율	채권가격	주가
확장 정책	법정지불준비율 인하	증가	하락	상승	상승
	재할인율 하락				
	국채매입				
긴축 정책	법정지불준비율 인상	감소	상승	하락	하락
	재할인율 상승				
	국채 매각				

정부는 경기침체기가 도래할 경우 법정지불준비율의 인하, 재할인율의 하락, 국채 매입 등을 통해 시중에 유동성 자금을 공급하게 된다. 이러한 통화량의 증가로 인해 시중의 단기 금리는 하락하게 되고, 단기금리의 하락은 채권가격의 상승을 초래하게 된다. 시중에 유동성 자금이 풍부하게 공급될 경우 그 자금 중의 일부가 주식시장으로 흘러 들어가게 되면서 주가 또한 상승하는 모습을 보일 가능성이 커지게 된다.

반대로 경기가 과열되어 인플레이션의 상태에 빠지게 될 경우 정부는 법정지불 준비율의 인상, 재할인율의 상승, 국채매각을 통해 시중의 유동성 자금을 흡수하게 된다. 이에 따라 시중의 통화량이 감소되고, 이자율은 상승해 채권가격을 하락하게 되는 모습을 보인다. 주식시장 또한 유동성 자금의 축소로 인해 가격 하락의 리스크가 증대되는 모습을 보이게 되는 것이다.

4. 통화정책이 금리에 미치는 영향

결국 정부는 경기 침체기에는 시중에 유동성 자금을 공급해 금리를 낮추는 전략을 시행함으로써 경기부양을 도모하게 된다. 이처럼 시중에 유동성 자금을 공급하는 초기단계에서 금리가 하락하는 정책 효과를 유동성 효과라고 부른다.

중기적으로 시중에 공급된 풍부한 유동성 자금이 경기를 개선시키게 되고, 경기 개선에 따라 소득증대로 인한 통화수요 증가로 금리가 상승하는 모습을 보이는데, 이를 소득효과라고 한다.

장기적으로는 경기침체 극복을 위해 초저금리를 유지해 시중에 풀려진 유동성 자금으로 인해 경기과열이 발생할 경우 기 공급된 유동성 자금으로 인한 화폐가치 하락(인플레이션)을 막기 위해 중앙은행은 시중의 유동성 자금을 거둬들이게 된다. 경기가 과열되면 시장의 투자자들은 인플레이션이 상승할 것이라 생각하게 되고 이러한 기대심리로 인한 물가 상승을 억제하기 위해 중앙은행이 금리를 재차 올리는 것을 '피셔효과 or 기대 인플레이션 효과'라고 부른다.

5. 통화정책의 파급경로 분석

■ 금리경로

중앙은행의 단기금리 조절에 따른 효과가 단기 금융시장 → 장기 금융시장 및 은행 대출시장 → 기업 투자 → 경제성장 및 실물부문으로의 유기적 파급에 미친다는 것이 바로 금리경로이다.

예를 들어 중앙은행이 단기금리를 낮출 경우 시중의 금융기관은 상대적으로 저렴한 단기자금을 차입해 장기의 회사채나 국채에 대한 투자를 증가시키게 된다. 이러한 단기자금에 대한 수요 증가는 채권가격의 상승(금리하락)을 초래하게 된다. 한편 은행은 채권금리가 낮아지면 운용수익률을 높이기 위해 대출을 증가시키게 되고 이에 따라 대출금리 또한 낮아지는 모습을 보이게 된다. 대출금리와 회사채 등의 채권금리 하락은 기업들로 하여금 낮은 금리로 자금을 조달할 수 있게 해 투자 확대를 가능하게 만들고, 이에 따라 경제 성장의 기회를 갖게 되는 것이다.

■ 신용경로

중앙은행이 본원통화의 공급을 늘릴 경우 은행은 대출활용재원이 증가함에 따라 실제 대출이나 신용공급 등을 늘리게 된다. 이렇게 증가한 신용·대출의 공급은 기업들에게는 투자의 증가, 가계에는 소비의 증가 등의 효과를 발생시키면서 경제가 성장하는 모습을 보이게 된다. 이를 신용경로라고 한다.

■ 자산가격 경로

일반적으로 금리가 하락하게 되면 주가가 상승하는 모습을 보이는데, 이는 금리하락으로 예금이나 채권투자로 얻을 수 있는 수익이 낮아져 투자자들이 대체 투자수단으로서 주식에 대한 매입을 증가시킴에 기인한다. 또한 주가가 상승하면 기업이나 개인들의 처분할 수 있는 부의 규모가 증가하기 때문에 이를 통해 소비·투자 등이 증가하면서 경기는 좋아지는 모습을 보이게 된다.

이처럼 자산가격이 상승할 경우 투자자는 보유자산의 가치 상승에 따라 소비를 늘리게 되며, 반대로 자산가격이 하락할 경우 소비를 줄이는 행태를 보이게 되는데 이러한 현상을 'Wealth Effect'라고 한다.

증권연구원에 의하면 주가가 1% 상승할 경우 소비는 0.04% 상승한다는 조사결과를 발표한 바 있으며, 한국은행의 조사에서는 부동산 가격과 실질 소매판매는 뚜렷한 정의 관계가 나타나는 것으로 발표된 바 있다.

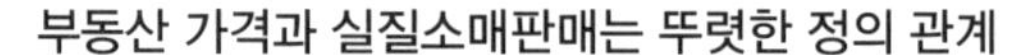
부동산 가격과 실질소매판매는 뚜렷한 정의 관계

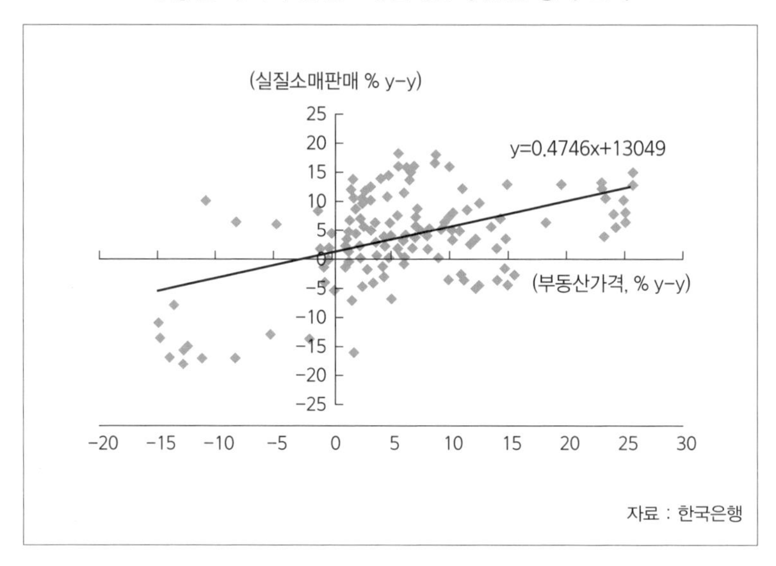

■ 환율경로

중앙은행의 확장적 통화정책에 의해 금리가 낮아지면 자국통화로 표시된 자산의 수익률은 외화표시 자산 수익률에 비해 하락하게 되어 투자자들은 외화표시자산에 대한 비중을 증가시키게 되며, 이는 자국 통화의 공급확대와 외화 수요의 확대를 초래해 환율상승(원화가치 하락)을 초래하게 된다.

수출기업의 경우 환율상승(원화가치 하락)을 통해 수출상품의 가격경쟁력을 확보하게 되어 수출이 증가하게 되고, 수입기업의 경우 수입상품 가격 상승으로 인해 수입을 감소시키게 된다. 이를 통해 수출증가와 수입감소를 통해 순수출이 증가하게 되면서 경기는 개선되는 모습을 보이게 된다.

통화정책의 4가지 파급 경로와 관련해 장단기 금융시장이 잘 발달한 선진국의 경우에는 금리경로가, 은행의 비중이 큰 국가의 경우에는 신용경로가, 주식시장이 활황을 보이는 경우에는 자산가격 경로가 가장 두드러지게 부각된다. 우리나라와 같이 소규모 개방경제인 경우에는 환율경로의 중요성이 상대적으로 더 크다고 볼 수 있다.

통화정책의 파급경로

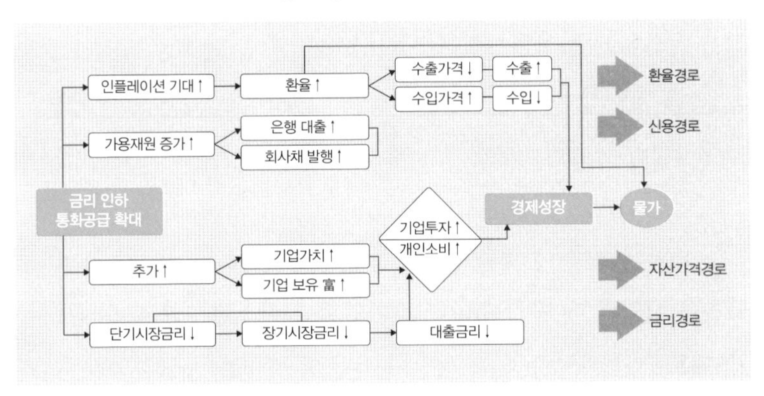

03

미국의 통화정책에서 살펴보는 투자 INSIGHT

앞장에서 살펴본 것처럼 금리는 중앙은행이 경기를 조절하는 수단으로 이용한다는 것을 이해하여야 한다. 만약 경기가 안 좋아질 경우 중앙은행은 우선적으로 금리를 낮춰 시장에 풍부한 유동성 자금을 공급하는 통화완화정책을 시행하게 된다. 반대로 경기가 활황을 보일 경우 중앙은행은 금리를 올려 시중의 자금수요를 억제해 인플레이션을 사전적으로 통제하게 된다.

2000년대 초반 IT 버블 붕괴로 인한 경기침체로 주가가 급락하는 모습을 보였을 때 당시 FRB 의장이었던 그린스펀은 6.5%의 금리를 1%대로 지속적으로 낮춰 시장에 유동성 자금을 공급하였다. 이러한 유동성 자금의 공급이 경기침체를 극복해 낸 원동력으로 작용한 것은 사실이지만, 상당기간 동안 지속된 저금리로 인해 부동산 버블이 발생하면서 금리는 점차 상승하는 모습을 보이게 된다. 금리 상승으로 인한 부동산 가격 하락으로 인해 서브프라임 버블이 터지면서 금융위기가 도래하자 당시 FRB 의장인 벤 버냉키 또한 5%대의 금리를 0%~0.25% 까지 낮추면서 초 저금리를 유지하며 경기활성화를 추진하였다.

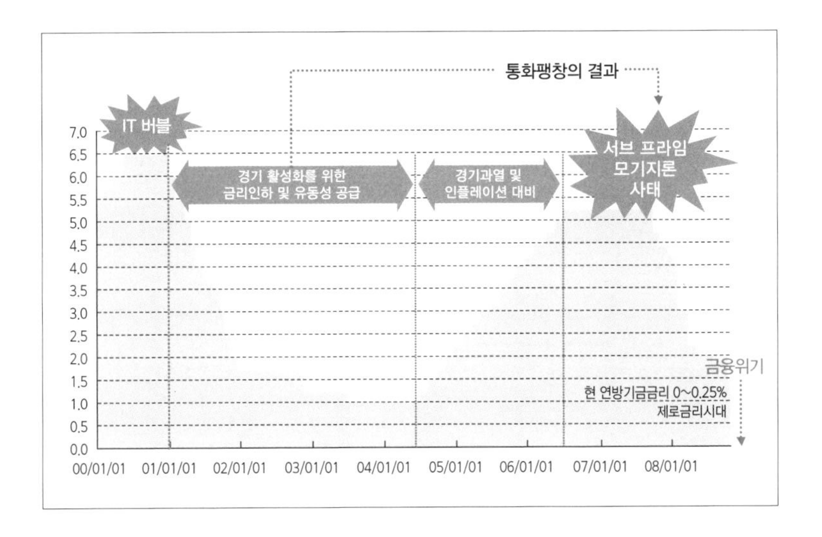

결국 중앙은행이 0~1%대의 낮은 금리를 유지하는 정책을 시행할 때에는 경기가 극심한 침체에 이르렀을 때라는 것을 알 수 있는데, 이는 "금리는 경기에 후행한다."라는 말을 확인해 주는 결과로 이해할 수 있다. 따라서 투자자의 입장에서 볼 때 중앙은행의 금리 인상 정책은 경기 개선을 확인하는 것이라 이해함이 타당하며, 반대로 중앙은행의 금리 인하 정책은 중앙은행이 사후적으로 경기 침체를 확인한 것이라고 이해할 필요성이 있는 것이다.

한·미 기준금리 추이

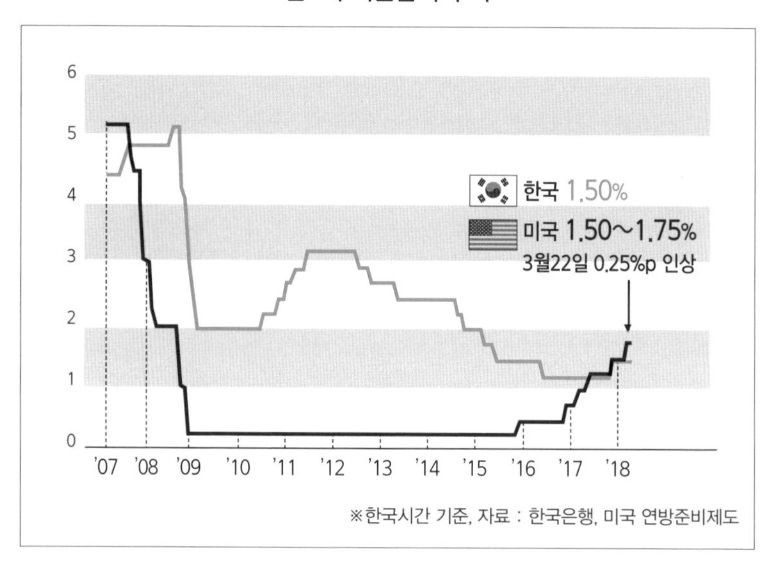

2018년 3월 22일 미국 중앙은행인 연방준비제도는 3개월만에 기준금리를 0.25%올리면서1.5~1.75% 수준이 되었다. 이는 이른바 제로금리(0~0.25%)시대 이후로는 6번째의 금리인상이기도 하다 이번 FOMC 회의를 기점으로 미국의 정책금리 상단은 10년 7개월만에 한국은행 기준금리(연 1.5%)를 추월한 상태이다. 단기적으로는 그 위험성이 크지 않다고 하더라도 이러한 추세가 계속 될 경우 외국인 투자자들의 한국 자본시장 유출리스크가 더욱 커질 수 있다는 것이 전문가의 의견이다. 더 큰 문제는 연방준비제도 위원회가 앞으로도 금리를 계속 인상시키겠다는 시그널을 보이고 있다는 점이다. 연준 지도부는 올해 기준금리를 3번 인상하겠다는 기존 기조를 발표하면서 2019년에는 3회, 2020년에는 2회의 금리인상을 전망하고 있다.

이렇게 되면 앞으로 7차례의 금리인상이 가능할 것으로 보이면서, 미국의 기준금리는 3.25~3.5%까지 높아지게 된다.

서서히 속도를 높이고 있는 미국 기준금리의 정상화는 미국 실물경기에 대한 자신감을 반영한 것으로 볼 수 있다. 기본적으로 소비, 투자, 고용지표가 양호한 흐름을 이어가고 있으며, 트럼프 행정부의 감세 정책과 1.5조 달러의 인프라 투자 방침도 경제 성장세를 뒷받침 할 것으로 예상된다. 이는 그 동안의 초저금리 정책으로 인한 유동성 자금이 경제를 개선시키는데 큰 역할을 했으며, 이러한 자산가격의 상승이 소득효과를 넘어서 인플레이션 효과까지 발생시키고 있는 것으로 볼 수 있는 것이다.

04

세상이 모두 두려워하는 시기가 바로 재산증식의 시기이다

2009년대 금융위기의 시대. 0%대의 초 저금리 시대에 시장 투자자들의 자산 선택이 어떻게 이뤄졌는지를 살펴보자.

투자자들의 투자행태

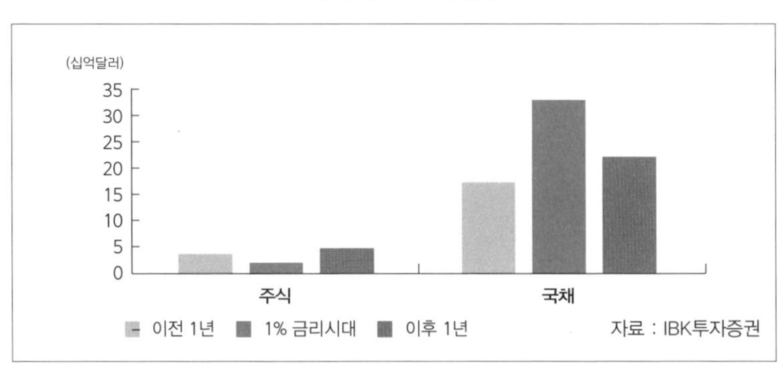

서브프라임 위기를 극복하기 위한 미국 FRB의 0%대 초 저금리 시대에 시장의 투자자들은 주식과 같은 위험자산 보다는 국채와 같은 안전자산에 대한 투자를 상당부분 증가시킨 것을 볼 수 있다. 이는 초저금리 시대 즉 최악의 경기 침체기에 위험자산의 비중을 축소

시키고 안전자산의 비중을 증가시킨 합리적인 투자자의 전형을 보이고 있는 것으로 일견 이해될 수 있다.

하지만 과연 투자자의 선택은 과연 옳은 것이었는지에 대해서는 달리 생각해 보아야 할 듯 하다. 우선 채권의 가격 책정 시스템에 대한 이해가 선행되어야 할 것이다. 채권의 가격은 이자율의 방향과 반대방향으로 움직이게 된다. 결국 채권 투자의 경우 금리가 하락해야 채권가격이 상승해 자본이득을 향유할 수 있게 된다. 하지만 0%대의 초저금리 시대에 금리가 추가로 하락할 여지가 없다는 점을 감안할 때 과연 채권 투자로 인한 수익이 얼마나 높아질 수 있었을까 하는 점에 의문을 가졌어야 한다. 오히려 중앙은행의 초저금리 정책 시행으로 인한 시중의 유동성 자금 공급은 실물자산 등의 가격 상승으로 인한 경기개선을 초래하게 되고, 경기개선에 따른 소득증가가 화폐의 수요를 증가시켜 금리가 상승하게 되는 '소득효과'를 발생시키면서 결국 채권가격은 금리상승으로 인해 오히려 하락하는 모습을 보이게 된다.

실제 주요 자산 수익률

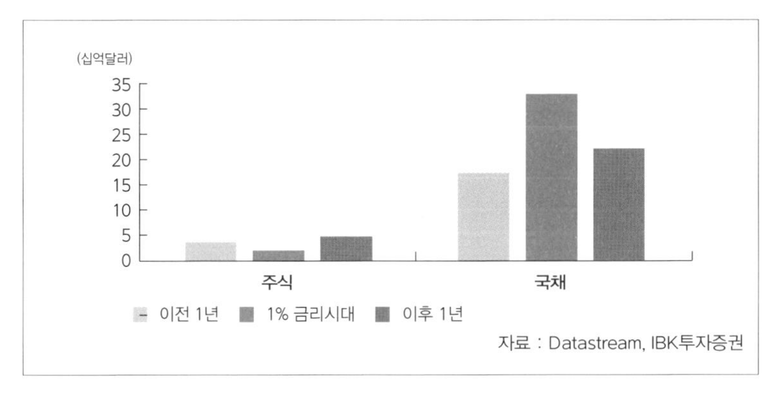

실제로 0%대의 초저금리 시대(경기침체기)에 높은 수익을 보인 자산은 주식, 부동산, 원자재 등의 위험자산임을 알 수 있다. 실제로 미국이 0%대의 초저금리에서 벗어나 금리를 상승시키는 동안 전 세계 주식시장의 상승세는 매우 가파른 모습을 보이곤 했다. 금리의 후행성을 감안할 때 미국 금리의 상승은 미국 경기의 회복으로 해석되면서 오히려 미국 주식가격은 유례없는 폭등세를 거듭하게 된다.

결국 세상이 두려워하는 시기에는 안전자산에 대한 투자 증가가 아닌 위험자산에 대한 투자증가가 오히려 해답임을 나타내 주는 결과로 볼 수 있는 것이다.

05

위기의 시대. 그 해법은? 오스트리아 학파 vs 케인즈 학파

하이에크

케인즈

재정긴축 vs 시장개입

하이에크-케인즈의 재대결

1. 오스트리아 학파의 해법 (케인즈가 죽어야 경제가 산다)

오스트리아 학파의 태두 하이에크는 1974년 경기순환이론으로 노벨 경제학상을 수상했다. 실제로 오스트리아 학파는 서브프라임의 위기에 대해 가장 먼저 경고하면서 시장의 주목을 받은 바 있다. 오스트리아 학파에 의하면 세계적인 위기의 주범을 만들어 내는 당사자는 바로 FRB(미국의 중앙은행)이라는 것이다.

FRB는 금리를 통해 경기를 인위적으로 조절한다. 경기침체기에는 시장에서 자율적으로 정해졌을 것으로 예측되는 수준보다 더 낮은 수준으로 이자율을 떨어뜨린다. 이러한 낮은 이자율 수준은 시장의 투자자로 하여금 레버리지를 이용한 투기행위 조장, 과도한 부채를 안게 하는 것을 가능하게 함으로써 자본을 부적절한 곳에 유지가 불가능한 수준까지 투입하게 만들고 시장에 혼란을 가져오게 한다. 하지만 이에 대한 파국의 책임은 결국 자유시장의 투자자와 세금을 납부하는 일반 국민에게로 돌아가게 된다.

오스트리아 학파의 이론을 더욱 발전시킨 미제스는 FRB에 의해 인위적으로 낮은 이자율이 유지되는 경제를 자신이 실제로 갖고 있는 것보다 더 많은 자원을 보유하고 있다는 주택건축업자에 비유해 경제의 실패를 조명한다.

건축업자는 집을 건축하기에 앞서 본인이 보유한 자원(벽돌)의 양을 먼저 파악하는 것이 필수적이다. 하지만 시장에서 중앙은행에 의해 인위적으로 자원이 많은 것으로 여겨질 의사결정이 이뤄진다면 이에 대한 확신을 지니고 본인이 보유한 자산을 초과한 투자를 시행하게 된다. 이는 결국 자신이 가진 자원(벽돌)의 양을 파악했다면 결코 만들지 않았을 크기의 엄청난 크기의 집을 짓기 시작한 건축업자로 하여금 결국 그가 가지고 있던 벽돌로 집을 끝내 완성시키기 못하게 하는 결과를 이끌어 낸다. 결국 건축업자는 벽돌이 모자라 집을 완전히 부숴야만 하는 상황에 직면하게 되는 것이다. 건축업자뿐만이 아니라 사회 역시 그 공사에 투자한 만큼 더 가난해질 수밖에 없다.

중앙은행의 인위적인 저금리 정책은 단기적으로는 분명 호황과

번영이라는 결과를 초래할 수 있다. 하지만 실제로는 경제가 고혈당 상태에 있는 것으로 곧 비참한 현실을 직면하게 되는 것은 시간문제라는 것이다.

이들은 실제로 인위적인 경기부양에 의한 시장의 붕괴는 소비자들이 원하는 것을 생산하는 재배치의 과정으로서 경기침체나 불황은 경제에 반드시 필요한 시기라고 주장한다. 많은 사람들이 이러한 경기침체로 고통을 받을 수 있으나 실제로 이들이 받게 되는 피해의 시작은 이미 FRB의 인위적인 경기개입이 있을 때 이루어 졌다는 것이다.

오스트리아 학파는 이러한 견해에 근거해 정부가 재정정책과 통화정책을 통해 시장의 실패를 조정해야 한다는 케인즈 학파의 의견에 반대한다. 이들은 케인즈가 주장하는 정부의 인위적인 시장개입을 시장붕괴의 근본원인으로 보고 있다. FRB의 인위적인 개입이 있을 때마다 시장의 자본구조는 더더욱 기형적으로 변하게 되고, 이에 따라 후에 닥쳐올 붕괴는 더욱 더 큰 규모로 이루어지게 된다는 것이다.

2. 케인즈 학파의 해법 (재정정책을 중시하라.)

1930년대 미국의 대공황 시기에 경기침체로 인한 실업률의 증가, 국민소득의 감소가 지속되면서 정부의 주도 하에 경기를 부양시킬 책임에 대한 논의가 급증하기 시작했으며, 이에 대한 이론적 근거를 제시한 경제학파가 바로 존 메이너드 케인즈를 중심으로 한 케인즈 학파이다.

케인즈 경제학은 공공 부문과 민간 부문이 함께 중요한 역할을 하는 혼합경제를 장려하는데 그 중 특히 정부의 역할을 강조한다. 이러한 주장은 대공황 이전에 주장되었던 시장과 민간 부문이 국가의 간섭이 없는 상태에서 가장 잘 작동한다고 주장하는 방임주의적 자유주의(고전학파)의 이론에 대한 회의에서 비롯되었다. 실제로 케인즈 경제학은 여러 경제학자들이 방임주의의 실패로 인한 대공황 시기에 발생했던 여러 가지 문제점들을 해결하기 위해 개발되었다.

케인즈의 이론은 경제적 과정을 잠재 생산의 지속적인 성장으로 보는 18세기 후반 이후 고전 경제학자들의 관점과는 달리, 케인즈는(특히 불황기에) 경제를 이끌어 가는 요소로서 상품에 대한 총수요($Y = C + I + G + X - M$)를 강조했다.

이런 관점에서 그는 1930년대의 높은 실업률과 디플레이션에 대해 거시적인 규모에서 대처하기 위해 정부가 정책적으로 소비를 유도해야 한다고 논했다. 불황 시기에 정부가 지출을 늘리면 보다 많은 돈이 유동되므로 시민들의 소비와 투자가 유도되어 경제가 정상 상태를 회복한다는 것이 케인즈의 주장이다. 이는 공급측면 경제학에 반대되는 의미로서 소비측면 경제학이라 할 수 있을 것이다.

정부가 불황기에 정부지출(G)을 늘릴 경우 국민소득(Y)이 증가하게 된다. 국민소득의 증가는 개인의 소비를 증가시키게 되고, 기업의 투자를 증가시면서 국민소득을 더욱 증가시키게 되며 이는 결국 경기를 침체에서 이끄는 효과를 발휘하게 된다는 것이다.

2008년의 금융위기 시점에서 케인즈 학파의 이론이 새롭게 대두된 것은 이러한 이유에서이다. 총수요(Y) = C(가계의 소비) + I(기업의 투자) + G(정부의 지출) + X(수출) − M(수입)를 2008년의 금융위기 시점에 대입해 설명해 보자.

2008년 금융위기 당시 경기침체로 인해 가계의 소비여력이 감소하면서 소비(C)는 감소하는 모습을 보이게 된다. 가계의 소비감소와 경기침체는 연쇄적으로 기업의 투자(I)를 감소시킨다. 금융위기 당시의 높은 원자재 가격으로 수입(M)의 증가와 더불어 세계경제 침체로 인한 수출(X) 또한 감소하는 모습을 보인다. 경제성장을 의미하는 총수요의 모든 요소가 (−)의 움직임을 보이는 가운데 이를 개선시키기 위해서는 누가 나서야 할 것인가? 결국은 정부(G)의 역할 밖에는 기대할 수 없는 것이다.

케인즈학파는 정부가 재정정책과 통화정책의 활용을 통해 경기침체기를 극복해 나가야 한다고 주장한다. 재정정책은 정부의 수입과 지출을 조정하는 정책으로서 경기침체기에는 정부의 수입(조세)을 축소시키고, 정부의 지출(실업급여 지급 등)을 증가시켜 국민의 가처분 소득을 증가시켜 경기개선을 이끌고자 하며, 경기과열시기에는 정부의 수입을 증가시키고, 정부지출을 감소시켜 국민의 가처분 소득을 감소시켜 과열을 억제 하게 된다. 통화정책은 중앙은행이 정책금리를 조정해 경기를 조절하는 것으로서 경기침체기에는 이자율을 낮춰 시중에 풍부한 유동성 자금을 공급해 소비와 투자를 진작시켜 경기를 개선시키고자 하며, 반대로 경기 과열기에는 이자율을 높이면서 시중의 유동성 자금을 흡수해 소비와 투자를 억제시켜 경기과열을 억제하게 된다.

케인즈는 통화정책과 재정정책 중 재정정책의 중요성을 더욱 강조한다. 이는 통화정책의 시행이 경기를 개선시키는 효과를 발생시키지 못하게 되는 유동성 함정을 우려했기 때문이다. 예를 들어 이자율 수준이 극단적을 낮은 상태에서는 사람들이 곧 이자율이 상승할 것(채권가격의 하락)을 예상하기 때문에 중앙은행이 시장에 화폐를 아무리 많이 공급해도 화폐에 대한 수요의 급증으로 인해 공급되어진 유동성 자금이 다시 모두 예금 등을 통해 은행에 흡수되어 시중에 유동성 자금의 공급이 이루어 지지 않게 된다. 이를 유동성 함정이라고 한다.

Chapter

04

금융시장에 투자하라

01

투자 패러다임 전환의 시대 (부동산에서 금융자산으로)

2017년 부동산시장의 열기는 그야말로 대단했다고 말하지 않을 수 없다. 서울 강남아파트 값이 1평당 평균 4,000만원을 돌파하면서 '그들만의 리그' 라는 세간의 인식 또한 널리 퍼지고 있는 것이 사실이다. 하지만 그 이면에 가계부채가 사상 최대 규모인 1,400조원을 돌파하면서 향후 미국 금리인상에 따른 가계부채 부담의 증가라는 부담 또한 고민하지 않을 수 없는 상황이다. 2018년은 어떠한 모습을 보일까? 2018년은 문제인 정부가 내놓은 각종 정책이 본격적으로 시행됨에 따라 많은 변화가 생길 것으로 예측되고 있다.

1. 양도부터 보유까지 세금 더 걷는다

2018년 1월 1일부터 양도소득세 기본세율이 상향된다. 기존 3~5억원의 아파트 양도소득 세율이 38%에서 40%로 상향되며, 기존 40%였던 5억 초과 아파트의 양도세는 42%로 각각 2% 인상될 예정이다. 분양권 양도소득세도 높아진다. 전국 40곳의 조정대상 지역 내 분양권 거래 시 보유기간에 상관없이 일률적으로 50% 세율이 적용된다. 기존에 1년~2년은 40%, 2년 이상은 6~40% 세금을 납부했던 것 보다 세금부담의 폭이 커진 것이다.

다주택자들의 세금부담은 더욱 커진다. 4월 1일부터 조정대상 지역에서 주택매매 시 2주택을 보유했거나 3주택 이상 다주택자들은 양도세 기본세율(6~42%)에 각각 10%, 20% 포인트 가산세가 붙는다. 양도세 기본세율이 최고 42%임을 감안하면 3주택 이상자는 최고 62% 세율이 적용된다. 또한 3년 이상 보유시 보유기간에 따라 양도차익의 10~30%를 공제해 주던 장기보유 특별공제 혜택 또한 배제되어 다주택자들의 부담은 한층 더 가중될 것으로 예측된다.

2. 비상 걸린 강남 재건축 시장 – 초과이익환수제 부활

가장 hot 하다고 여겨지는 강남 재건축 시장에 부정적인 요인으로 적용될 가능성이 있는 것이 바로 2018년 1월 1일부터 시행되는 초과이익 환수제의 부활이다. 초과이익환수제는 재건축 이익이 조합원 1인당 평균 3,000만원 초과시 초과금액의 최대 50%를 세금으로 부과하는 제도이다. 2006년 참여정부 시절 도입되었다가 두 차례에 걸친 유예기간이 2017년 종료되었다. 2018. 1.1 이후 관리처분 계획 인가 신청을 하는 재건축 사업장은 모두 초과이익 환수대상이 된다. 2017년 말 초과이익환수제를 피하기 위해 강남 재건축 단지들이 사업추진 속도를 낸 것이 집값 상승의 주요 원인인 만큼 초과이익 환수제가 실시되면 재건축 단지의 투자과열 양상도 진정될 가능성이 없지 않다.

3. 임대사업자 등록 활성화 유도 위한 법 개정 이어질 듯

임대사업자 등록 활성화를 유도하기 위한 조세특례제한법 개정도 이뤄졌다. 소형주택 임대사업자에 대한 소득/법인세 감면(4년 일반임대 30%, 8년 준공공임대 75%) 요건이 완화된다.

기존 소형주택 임대업자는 주택 임대사업자 등록을 하고, 국민주택 규모의 기준시가 6억 이하 주택을 4년간(준공공 임대시 8년) 3주택 이상을 임대해야 했으나, 2018년부터는 1주택만 임대해도 된다. 또한 준공공 및 기업형 임대주택 양도세 감면 적용기간은 2018년 말까지로 1년 연장되며, 신규 매입 후 10년이상 계속 임대시에는 양도세를 면제해 준다.

4. 무리한 투자는 삼가할 것. 대출받기 어려워진다.

가장 어려운 부분이 바로 까다로워질 대출심사 부문이다. 조정대상 지역에서는 새로운 총부채 상환비율(DTI)이 적용된다. DTI는 대출자의 상환능력을 소득으로 따져 주택담보 대출 한도를 정하는 기준이다. 기존에는 신규 주택담보 대출 시 기존에 받았던 이자비용만 포함했으나, 신 DTI는 원금과 이자 상환비용을 모두 포함해 대출자의 가계부채를 포괄적으로 반영하여 대출한도가 줄어들게 되는 것이다.

2018년 시행되는 다양한 부동산 정책 들로 인해 전문가라고 불리는 사람들 조차 2018년 부동산 시장을 전망하기에는 많은 어려움을 겪고 있는 것이 사실이다. 하지만 올해 전국에서 41만여 가구의 아파트가 분양되는 등 물량이 풍부하다는 점은 무주택자들에게는 좋은 소식이라고 할 수 있다. 다만, 대출규제의 강화, 각종 세금 부담 등의 요인 등을 감안할 때 실수요자들에게는 많은 고민을 해야 할 시점이 아닌가 싶다.

이렇듯 대한민국에서 시작한 부동산 시장의 변화는 시중 자금의 흐름이 과거와는 다른 양태를 보일 가능성을 높여주고 있다. 우리나라의 경우 아직까지는 자산에서 부동산이 차지하는 비중이 높은 모습을 보이고 있지만 향후 일본과 미국 등의 선진국처럼 금융자산의 비중이 증가할 것이다라는 예측이 대두되고 있다.

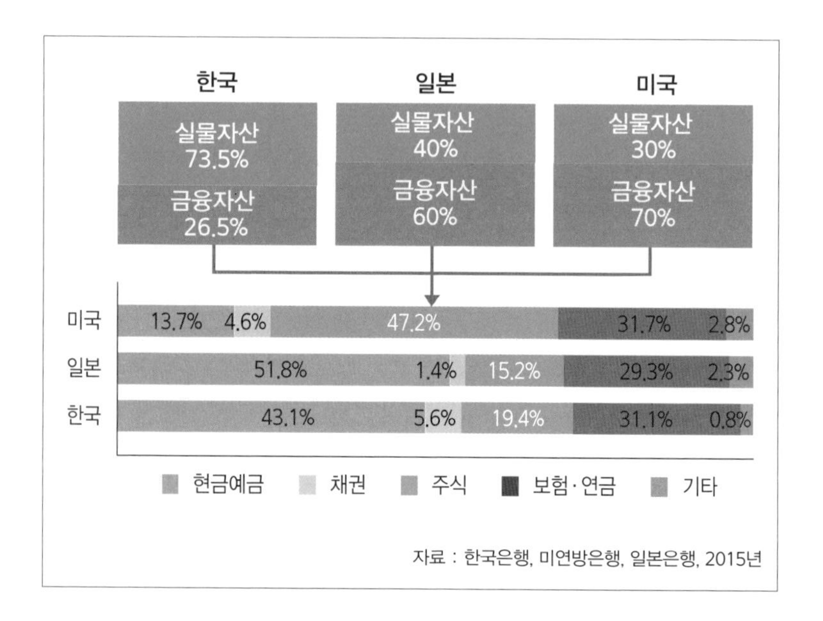

자료 : 한국은행, 미연방은행, 일본은행, 2015년

금융자산의 보유 구성 또한 변경될 것으로 예측되고 있다. 일반적으로 부동산 시장이 발달한 국가에서의 금융자산의 Key 는 유동성이라 할 수 있다. 이는 좋은 부동산이 나타났을 때 바로 인출해 구입해야 하는 수요를 충족시키기 위함이라 할 수 있다.

하지만 부동산 시장에서 투자자가 원하는 수익이 발생하지 않는 상황이 되면 금융시장의 Key가 유동성에서 수익성으로 옮겨 가게 된다. 금융자산 중 수익성을 제고할 수 있는 상품이 바로 주식, 채권, 투자형 보험 등의 상품이다.

(단위 : %)

구분	현금/예금	채권	주식	보험/연금	기타
2006년도	60.3	8.8	7.5	19.9	3.5
2015년도	43.1	5.6	19.4	31.1	0.7

2015 중 자금순환 통계표, 한국은행 경제통계국

금융상품의 주된 키가 수익성으로 전환될 경우 가장 기본적으로 이해하여야 할 금융자산이 바로 채권과 주식이라 할 수 있다. 안정성을 기반으로 하는 채권과 수익성을 골자로 하는 주식의 기본적인 특성 및 관심을 가지고 지켜봐야 할 몇 가지 지표를 소개하고자 한다.

02

채권의 개념 및 투자전략

일반적으로 미래에 현금흐름이 발생하는 자산에 대한 가치평가 방법은 아래의 수식으로 표현할 수 있다.

· 자산의 가치 $$V_0 = \sum_{t=1}^{n} \frac{CF_t}{(1+r)^t}$$

(V_0 : 채권의 현재가치, CF : Cashflow, t : 이자율, t : 잔존기간)

채권의 경우 분자의 현금흐름과 분모의 만기 또한 확정되어 있는 것이 일반적이다. 그렇다면 채권의 가치는 결국 이자율에 의해 결정된다고 볼 수 있다. 따라서 이자율이 상승하게 되면 채권의 가치는 하락하게 되는 것이며, 이자율이 하락하게 되면 채권의 가치는 상승하게 되는 것이다. 말킬(B.G.Malkiel)은 이자율과 채권가격과의 이러한 역의 관계를 정리하였는데 이는 채권 투자 전략의 논리적 근거를 제시하고 있다.

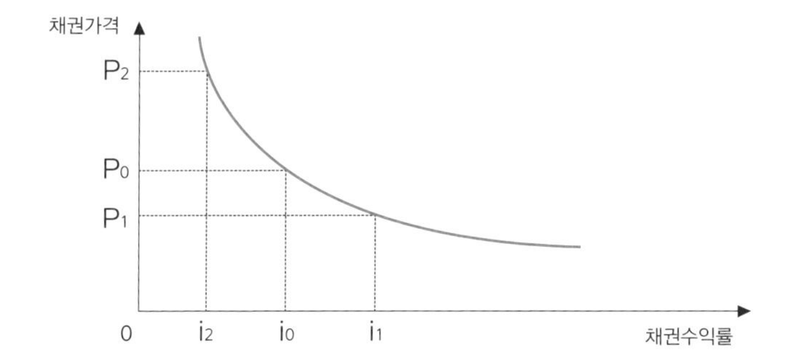

위의 공식을 그래프로 그린 것이 위의 그래프이다. 이 그래프를 보면 채권수익률과 채권가격이 역의 방향으로 움직임을 확인할 수 있다. 그러나 채권 수익률 변화에 따른 채권 가격의 변화는 직선의 형태가 아닌 원점에 대해 볼록한 모습을 나타내고 있다는 점에 유의해야 한다.

만약 이자율이 i0에서 i1으로 상승했다고 가정할 경우 채권의 가격은 P0에서 P1으로 하락할 것이다. 반대로 이자율이 i0에 서 i2로 똑같은 폭만큼 하락했다고 가정할 경우 채권의 가격은 P0에서 P2로 상승하는 모습을 보일 것이다. 동일한 폭만큼 이자율이 변동했음에도 불구하고 P0에서 P2로 가격이 상승한 폭이 P0에서 P1으로 가격이 하락한 폭보다 더 큰 것을 알 수 있다.

이는 결국 이자율이 하락할 때 채권의 상승폭이 이자율이 상승할 때의 채권의 하락폭보다 더 크다는 것을 의미하는 것으로서, 경기침체기에 중앙은행이 금리를 낮출 때 포트폴리오를 안전자산인 채권

위주로 변경하는 것이 합리적 투자방안이라는 것에 대한 이론적인 논거를 제시한다고 볼 수 있다.

1. 금리 변동에 따른 채권투자 전략

이자율 상승기에는 채권가격 하락이 예상되므로 원칙상 채권에 대한 투자비중을 줄이는 것이 타당하다. 하지만 분산 투자의 일환으로서 안정적인 채권을 포트폴리오 상에 일정부분 편입한다라는 차원에서 이자율 상승기에는 기존에 투자된 채권형 펀드의 비중을 줄이고, 균형적인 포트폴리오를 구성하기 위해 채권가격 하락위험이 상대적으로 적은 만기가 짧은 단기채에 적정비율로 투자하는 것이 바람직하다.

반대로 이자율이 하락할 때에는 채권가격이 상승하게 되므로 채권의 투자비중을 늘리되, 만기가 긴 장기채를 투자하는 전략이 바람직하다.

2. 미국 FRB의 통화정책에 근거한 채권투자 전략의 기본 전제

미국 중앙은행인 FRB의 새로운 수장인 파월은 2018년 미국경기 회복세가 완연하여 금리를 인상할 여력이 있다는 의견을 제시하고 있다. 2017년 말 0.25% 금리인상을 통해 1.25~1.5%대의 금리를 유지한 미국은 2018년 총 3번의 금리인상이 가능하다고 언급하고 있으며, 일부 전문가들의 경우 최대 4번의 금리인상이 가능하다고 말하면서 2% 중반대의 금리시대가 도래할 위험에 대해 이야기 하고 있다.

한·미 금리 격차 (단위 : %)

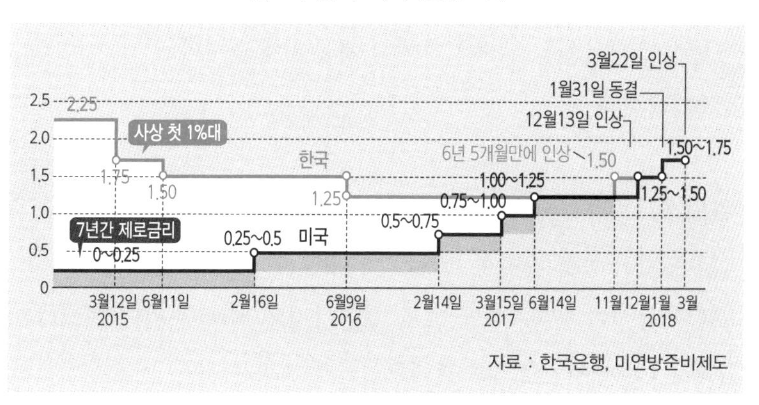

채권 투자자의 입장에서 파웰의 의견은 어떠한 시사점을 지니고 있는 것일까? 채권의 가격이 금리의 방향과 반대방향으로 움직인다는 것을 감안할 때 2018년 금리를 3회 인상한다는 것은 채권가격 하락위험(이자율 상승위험)이 그만큼 높아진다는 것을 의미한다고 보아야 한다.

이자율이 상승하게 되면 채권가격이 하락한다는 점에서 투자 포트폴리오를 100% 채권형 펀드로 유지한다는 것은 기존에 투자된 펀드에서 손실이 날 가능성이 높아지기 때문에 펀드변경을 고려해야 할 시기이다.

한국은행의 금리 움직임 또한 미국 FRB의 금리 추이와 그리 큰 차이가 날 것으로 생각되지는 않는다. 미국 금리가 인상되자 마자 바로 금리를 따라 올린다고는 하지 않더라도, 미국이 금리를 상승시키는데 한국은행이 금리를 계속 유지하게 될 경우 이자율 평가설에 의거 이자율이 높은 국가의 돈의 가치가 상승하게 되어 $가치가 상승하게 되면서 환율상승, 원화가치 하락을 초래해 외국인 투자자본의 입장에서는 한국 금융시장에서 자본을 유출시키게 될 가능성이 높아지게 된다.

금리의 변동 추이가 한번 방향이 전환되게 되면 일정기간 동안 지속된다는 점 등을 감안할 때 향후 1~2년 내 금리 상승의 추이는 지속될 가능성이 높고, 이에 따라 채권가격은 하락할 위험이 크다는 점에서 100% 채권형으로 변액보험을 유지하는 기존 고객들에게 채권의 비중을 줄이고 수출위주의 주식의 비중을 높일 수 있도록 조언이 필요한 시점이라고 할 수 있다.

그러나 현재 한국정부는 금리 역전현상이 일어나더라도 자본유출 가능성이 크지 않다고 지속적인 메시지를 내고 있다. 이러한 정부의 메시지가 맞을지 시간을 갖고 지켜봐야 하겠지만 그러한 투자 리스크를 감당하기 보다는 이러한 시기에는 투자를 쉬는 것도 좋은 투자 대안이 될 수 있다.

최적의 주식과 채권의 배분비중은?

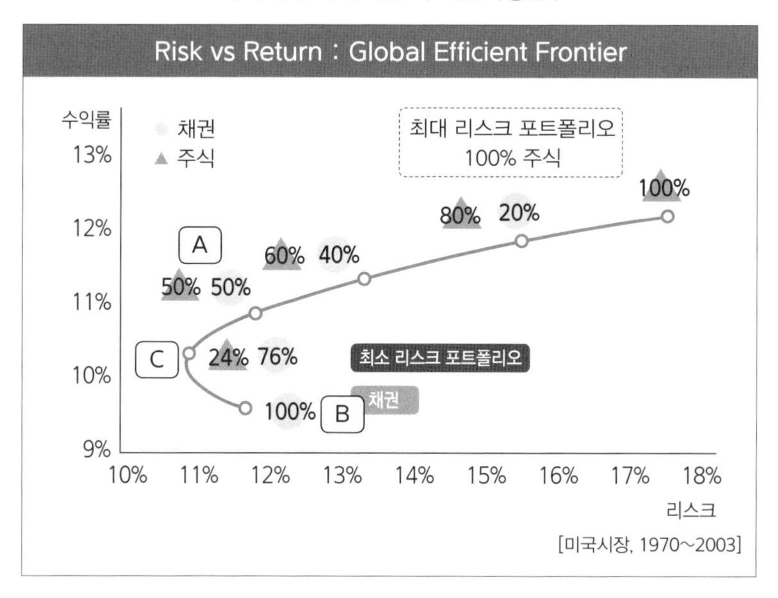

위험의 분산을 통한 리스크 축소를 기본 목적으로 하는 분산 투자를 감안할 때 채권 포지션을 모두 매도하고 주식으로 100% 펀드를 변경한다는 것은 타당하지 않은 선택이다. 그렇다면 도대체 주식과 채권의 최적 배분 비중은 어떻게 가져가는 것이 좋을까? 노벨경제학상 수상자인 마코위츠는 30여년간의 주식시장을 분석한 결과 지배원리라는 명제를 활용한 효율적 투자선이라는 개념을 이야기한 바 있다. 지배원리란 무엇인가? 만약 위험이 동일한 자산이 있다면 수익이 좋은 자산을 선택할 것이다. 반면 수익이 동일한 자산이 있다면 위험이 낮은 자산을 선택하게 될 것이다. 즉, 합리적인 투자자라면 누구라도 선택할 수 밖에 없는 원리가 지배원리인 것이다.

지배원리를 감안해 위의 그래프를 살펴보면 채권 100%의 포트폴리오 (B)와 주식 50% & 채권 50%의 포트폴리오 (A)는 위험은 거의 동일하다. 하지만 A 포트폴리오가 B 포트폴리오보다 수익이 더 높다. 결국 A와 B 포트폴리오가 위험이 동일하다면 채권 100%인 B 포트폴리오보다 수익이 높음 (A) 포트폴리오 즉, 주식 50% & 채권 50% 포지션을 취하는 것이 합리적이다라는 말이 나오는 것이다.

상기 그래프의 좌측 끝 부분을 보면 위험이 가작 적은 포트폴리오 (C)가 있다. 이 포지션을 최소 리스크 포트폴리오라고 한다. 이 포트폴리오의 구성비를 살펴보면 주식 24% 채권 76% 포지션으로 주식 3 : 채권 7 포지션이 매우 안정적으로 운용될 수 있는 포지션이 될 수 있음을 알 수 있다.

항상 투자에서 제일 좋은 한가지 투자대안이라는 것은 존재하지 않는다. 투자자 각자의 상황이 다르기 때문에 자신의 투자성향과 투자목적, 투자기간 등을 고려해 자신에게 맞는 포트폴리오를 투자전문가와 상의해서 선택하는 것이 바람직한 대안일 것이다.

03

주식시장의 성장 전망 및 알아둬야 할 주요 지표

서론에서 주가는 장기적으로 경제 성장률과 같은 방향으로 움직이는 모습이 있다고 언급한 바 있다. 즉, 경제성장률이 높을 경우 주가 또한 상승하는 모습을 보인다는 것을 언급한 것이다.

하지만 만약 경제성장이 이루어지지 않는다면 우리나라 주식시장은 하락하는 모습을 보일 것인가? 한국은행과 KDI가 발표한 잠재성장률 전망치를 보면 우리나라의 잠재성장률은 점차 낮아져 2020년 이후에는 2.8%의 성장률을 기록할 것이라는 자료를 발표한 바 있다.

잠재성장률 전망치 추이 (단위 : %)

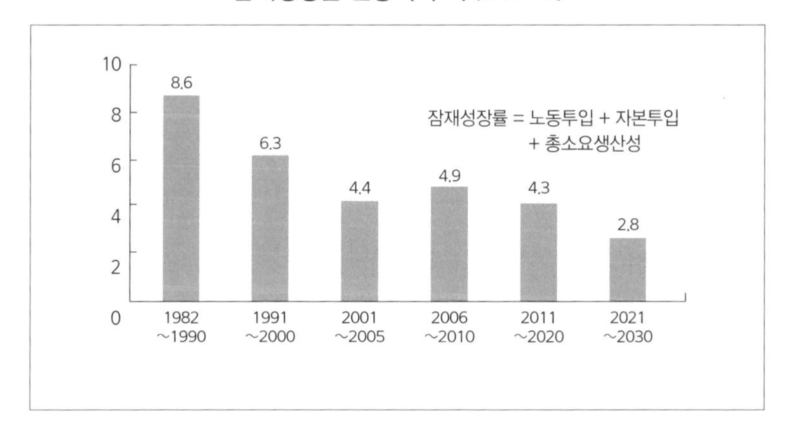

만약 주가가 경제성장률의 함수라면 경제성장률이 낮아지는 2011년 이후의 주식시장은 그다지 큰 매력도가 없어 보인다고 할 수 있다. 이를 어떻게 생각해야 할까?

1. 경제성장이 없는 주식시장의 성장은 가능할까?

우리나라의 경우 사실 2003년~2007년까지 5% 미만의 저성장 시기를 보여왔다. 하지만 이 시기에 주식시장의 흐름은 역설적이게도 KOSPI의 장기적 강세 흐름을 보였다. 경제성장이 뒷받침 되지 않았음에도 불구하고 주식시장이 성장해 온 근본 이유는 과연 어디에 있을까?

• 한국 GDP 성장률 추이
– 2000년 들어 저성장 고착화

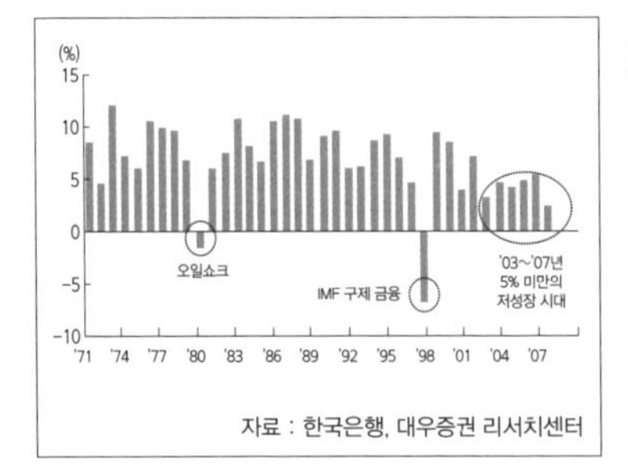

자료 : 한국은행, 대우증권 리서치센터

• KOSPI는 2003~2007년
성장 둔화의 시기에 급등

자료 : Bloomberg, 대우증권 리서치센터

이는 우리나라의 경기가 수출에 의거해 큰 영향을 받는다는 사실에서 그 원인을 찾아 볼 수 있다.수출주도형 성장의 과실은 개인이 아닌 기업에게만 돌아가고, 이러한 기업의 이익이 민간소비로 이어지지 못하고 있는 것이다. GDP에서 기업이 차지하는 비율은 IMF 이전보다 3배 이상 증가했지만, 가계가 차지하는 비중은 점차 낮아지고 있다. 바야흐로' 사람이 제 값을 받지 못하는 시대'가 도래한 것이다.

가계의 상황은 좋지 않은 반면 기업의 상황은 좋았고 주가는 이를 반영해 올랐던 것이 2003~2007년의 강세의 기본 논리라 할 수 있다. 이는 앞으로도 마찬가지 모습을 보일 것으로 기대된다. 경제 성장이 정체된 모습을 보이더라도 기업의 이익이 지속적으로 개선되는 모습을 보일 경우 주식시장은 성장하는 모습을 보일 가능성이 크다.

2. 주식시장과 관련해 꼭 알아두어야 할 지표 1
– PER (Price Earnings Ratio : 주가수익비율)

PER은 현재의 주가를 주당 순이익으로 나눈 값이다. PER은 기업이 벌어들이는 순이익에 대해 투자자들이 몇 배의 대가를 지불하고 있는가를 나타낸 값으로서 일반적으로 낮을수록 저평가 되어 있다고 본다.

$$PER = \frac{PRICE(\text{주가})}{EPS_1(\text{주당순이익})}$$

PER이 낮다는 것은 주가가 낮거나 또는 주당순이익의 증가폭이 크거나 둘 중의 하나라고 볼 수 있는데 후자의 경우 향후 주가는 상승할 가능성이 높다고 볼 수 있다. 그 이유를 설명하기 위해 상기의 공식의 양변에 주당순이익을 곱하여 다음과 같은 공식을 만들어보자.

$$PRICE = PER \times EPS_1$$

이 공식에 의하면 PER이 고정되어 있다고 가정할 때 주가는 주당순이익이 증가하면 상승하게 된다는 것을 알 수 있다. 즉 주가는 주당 순이익의 증가함수 인 것이다.

다시 말하면 어떤 기업이 이익을 많이 내면 낼수록 주가가 상승한다는 것이다. 그래서 항상 전년도 , 전분기 실적발표를 하는 시기에 순이익을 많이 내는 회사의 주가가 가장 크게 상승하는 모습을 볼 수 있는 것이다.

2018년 1월 29일 기준으로 MSCI 지수 기준 PER는 8.9배로 글로벌 평균 16.5배에 미치지 못하는 것은 물론이고 나이지리아의 9.6배에도 턱없이 부족한 수준이다. 연초부터 글로벌 자금이 이머징마켓으로 몰리면서 MSCI 이머징마켓지수의 PER는 12배~13배까지 상승했지만 우리나라 증시는 여전히 싼 값에 거래가 되고 있다는 의미이다. 이머징마켓에서 터키와 중국을 제외하면 가장 낮은 평가를 받고 있는 상황이다.

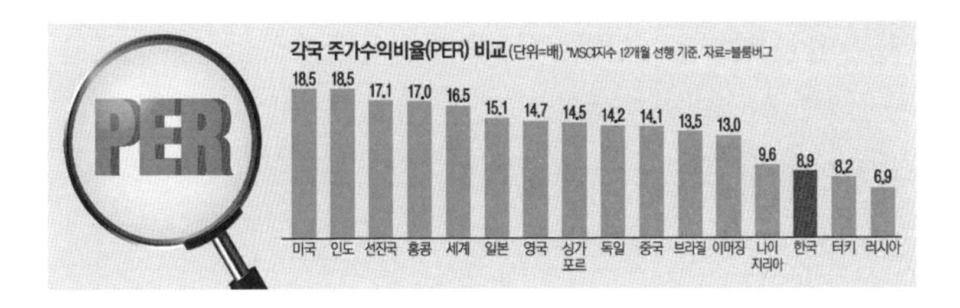

이러한 코리아 디스카운트의 이면에는 기업들의 낮은 배당성향과 남북 긴장관계가 자리하고 있다. 그러나 한국증시의 이런 낮은 밸류에이션 평가는 향후 주가 상승여력에 있어서는 긍정적인 것이라고 감안해 볼 필요성이 높다. 향후 남북관계 개선 여부 및 삼성/현대 등 대기업들의 지배구조 개편 이슈에 따라 PER가 상승하면서 한국 증시의 재평가가 이뤄질 가능성이 높다.

3. 주식시장과 관련해 꼭 알아두어야 할 지표 2
– PBR (Price Book value Ratio : 주가순자산비율)

PER이 수익가치와 대비한 상대적 주가수준을 나타내는 지표임에 비해 PBR은 기업의 자산가치 와 대비한 상대적인 주가수준을 측정한 지표이다

주가가 하락 국면일 때 기업의 절대가치 대비 주가의 하락폭을 가늠할 수 있는 지표로서 언급되는 PBR은 수치가 1보다 작으면 주가

가 청산가치 이하로 하락한 것으로 인식되어 과소평가되어 있다고 판단하게 된다. PBR이 낮은 주식은 기업의 자산가치에 비해 주가가 상대적으로 낮은 수준을 유지한다는 것을 의미하는 것으로 하방 경직성이 뛰어나다.

사실 주가가 폭락하고 있는 상황에서는 투자자들에게 무슨 소리를 해도 귀에 들어오지 않는다라는 사실은 잘 안다. 이는 금융위기 때에도 있었던 일이다. 2008년 금융위기로 인해 주가가 크게 하락했을 때에 KOSPI 지수의 PBR이 0.78배 수준을 기록했었다. PBR 0.78배는 IMF 버블 위기 때의 0.4배 수준이나 IT 버블기 0.69배 수준 이후 최고로 낮은 수준으로서 충분히 떨어질 만큼 떨어졌다는 시그널이라고 생각해 볼 수 있었다. 하지만 그 당시 '미네르바' 라는 재야 전문가가 주가가 500선까지 하락할 것이라고 주장하면서 시장의 수많은 투자자들은 상승반전의 시기는 한참 후에야 일어날 일이라고 생각하며 주식시장에 넣어 둔 자금의 상당 부분을 인출하고 만다.

결과는 어떠했는가? 2008년 금융위기 때 890선까지 밀렸던 KOSPI 지수는 이후 2011년에 2200 언저리까지 급상승 하는 모습을 보인바 있으며, 이후 5년간 2000선에서 지지부진하다가 2017년 세계경제 회복세에 따라 2500선을 돌파하는 모습을 보이고 있다. 만약 당시의 수 많은 금융권 전문가들의 말을 믿고 투자를 멈추지 않았다면 그 결과물은 지금 커다란 투자 수익으로 나타났을 것이다.

시장이 공포에 휩싸여 그 어느 누구의 말도 믿을 수 없을 때야 말로 시장 전문가들의 정통한 이야기에 귀를 기울여야 할 때인 것이다. 급등장에서는 주식시장 종사자들이 장미빛 미래만을 제시하며 탐욕에 물들 수 있을지 몰라도, 폭락장에서는 주식시장의 전문가들조차 매우 신중하게 의견을 제시할 수 밖에 없게 된다. 공포를 넘어서는 차가운 이성으로 뜨거운 감정을 다스릴 수 있는 자만이 탐욕과 공포가 아우러지는 정글인 주식시장에서 생존할 수 있는 합리적 투자자가 될 수 있을 것이다.

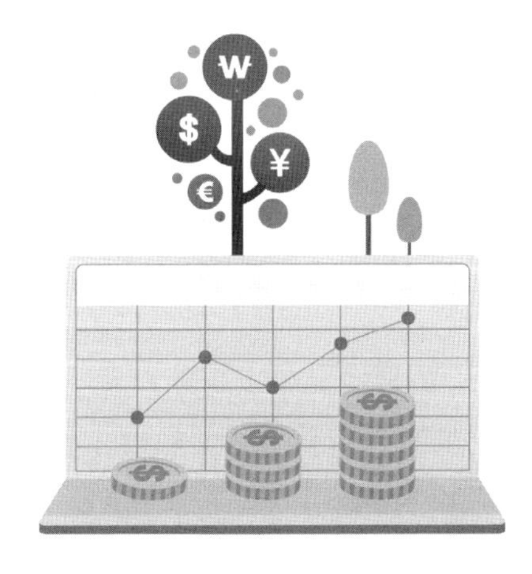

04

주식시장 잔혹사 "개미의 비극"

자산관리 상담을 하게 될 때 고객들이 하는 가장 많은 질문 중에 하나가 "그럼 어떤 종목을 매수해야 하나요?"라는 것이다. 나는 오히려 고객들에게 반문하고 싶다. "그것을 알면 왜 제가 직장을 다니겠습니까?"

실제로 개인투자자들이 주식시장에서 좋은 종목을 선택해 높은 수익을 올린다는 것은 매우 어려운 일이다.

2018년 2월 한달 동안 국내 주식시장에서 3조원에 가까운 외국인 자금이 이탈한 바 있다. 미국 금리인상에 따른 장기 국채금리 상승 등의 위험요인이 등장함에 따라 위험자산인 신흥국 증시의 투자자금이 빠져나갔다는 분석이다. 금융정보업체 FNGUIDE에 의하면 2월 한 달 동안 유가증권 시장과 코스닥 시장에서 개인이 가장 많이 산 종목 10개의 월간 평균 수익률은 -9.07%였다. 개인이 사들인 종목 대부분이 두자릿수 하락률을 기록하였다. 이 10종목 중 단 1개

종목(셀트리온 : 11.82%)만이 월간 (+) 수익률을 기록했다.

개인 순매수			개인 순매도		
종목	금액(억)	등락률(%)	종목	금액(억)	등락률(%)
삼성전자	1조 6,730	−5.69	SK하이닉스	8,012	4.49%
셀트리온 헬스케어	3,462	−12.7	삼성바이오 로직스	2,317	2.62
삼성SDI	2,917	−13.2	롯데케미칼	1,206	9.29
LG 화학	2,295	−11.34			
한미약품	1,543	−22.45			

출처 : 한국거래소 (억, %)

개인과 달리 기관은 삼성전자, 한미약품, KT 등을 가장 많이 순매도 했는데, 2월 한 달간 기관이 가장 많이 매도한 10종목의 평균 수익률은 −9.85%, 가장 많이 산 10종목의 평균 수익률은 0.26%로 하락장에서도 양호한 수익률을 시현한 바 있다.

개인투자자 입장에서는 기관이나 외국인에 비해 자금의 열세, 정보의 부재 등으로 지수대비 초과수익을 내는 것이 얼마나 어렵다는 것을 반증해 주는 자료라 하지 않을 수 없는 것이다.

특히 우리나라처럼 IT가 발전한 국가에서는 하루에도 60%(−30% ~30%)씩 변동폭을 보이는 주식에 대해 개인 투자자가 진득하게 가지고 버틸 수 없는 상황임을 감안할 때 개인투자자가 주식시장에서 해야 할 일은 무엇인지에 대해 답을 줄 수 있을 것 같다.

05

최선의 대안은 간접 투자

위에서 설명한 것처럼 주식시장에서 개별 종목을 선택해 수익이 나기에는 좀처럼 쉽지 않음을 알 수 있다. 그렇다면 개별주식에 대한 직접투자가 아닌 전문가에 의해 운용되는 간접 투자를 선택하는 것을 고려해 볼 만하다.

개인 투자자 입장에서는 투자금액이 그리 많지 않은 것이 일반적이라 소액으로 투자할 수 밖에 없다. 이렇다 보니 가격이 높은 우량주에 투자하기 보다 가격이 싼 일명 소형주 등에 라는 것에 투자하는 것이 일반적이다. 이에 따라 우량한 다수종목에 분산 투자 하는 것이 불가능하게 되어 소수 종목에 집중 투자하는 모습을 보일 수 밖에 없게 되는 것이다. 흔히들 KOSPI는 상승하는데 개인투자자가 보유한 주식은 오르지 않는다는 말을 많이 들어 보았을 것이다. 이는 다 소액으로 인한 개인투자의 한계점에서 기인하는 것이라 이해할 수 있다.

게다가 자산운영을 함에 있어도 주식시장에 대해 풍부한 정보와 실력을 가지고 있지 못해 기관이나 외국인에 비해 낮은 수익을 올리는 모습 또한 흔하다. 수익이 나지 않으니 자주 매매종목을 교체해 과다한 거래비용이 발생하게 되고 이는 수익률을 더욱 하락시키는 요인으로 작용하게 된다.

그렇다면 개인투자자 입장에서 굳이 왜 시장의 방향성에 대해 고민하고, 종목선택을 잘못했다고 아쉬워 하며, 왜 대형주를 사지 않았을까를 후회하는가? 자산관리의 전문가들에게 자산을 위탁해 운영하게 되면 이러한 애로사항 들은 해결될 수 있는 것이라 볼 수 있다.

우선 간접투자(일명 펀드투자)로 투자를 하게 될 경우 많은 투자자들의 자금이 모여 거액의 공동투자를 하게 되는 것이 가능하다. 이러한 거액의 자금은 시장의 값 비싼 우량주에 대한 보유를 가능하게 해 주가 상승에 대한 가능성을 한결 높일 수 있게 된다. 이 뿐만이 아니다. 공동 투자로 인한 경비의 절감 또한 가능하고 자산관리 전문가로 알려져 있는 펀드매니저의 관리를 받게 됨에 따라 그만큼 체계적인 위험관리가 가능하게 된다.

구분	간접투자	직접투자
투자자금	거액의 공동투자	소액의 개인투자
자산운용주체	펀드매니저	투자자 본인
투자에 대한 책임	투자자 본인	투자자 본인
투자 및 거래비용	공동투자로 경비절감	과다한 거래비용
포트폴리오	우량 다수 종목에 대한 분산투자	소수 종목에 집중 투자
위험관리	체계적인 위험관리	위험관리 취약

06

성공적인 간접투자를 위한 기본 전제조건

앞에서 언급한 다양한 특징이 있음에도 불구하고 개인 투자자가 간접투자(펀드투자)를 하지 않는 이유는 아마도 금융위기 때 입었던 펀드에서의 급격한 손실의 경험에서 기인한 바가 크다고 할 수 있다. 시장 전문가들만 믿고 맡겨 두었던 펀드자금이 시장 지수보다도 더한 손해를 기록했으니 그 어떠한 투자자가 전문가들의 말을 믿고 맡길 수 있었겠는가?

하지만 금융위기 때 펀드에서 입은 손실이 모두 전문가의 잘못이라고 말할 수 있는지에 대해서는 개인투자자인 우리의 입장에서 달리 생각해 볼 필요성이 있다.

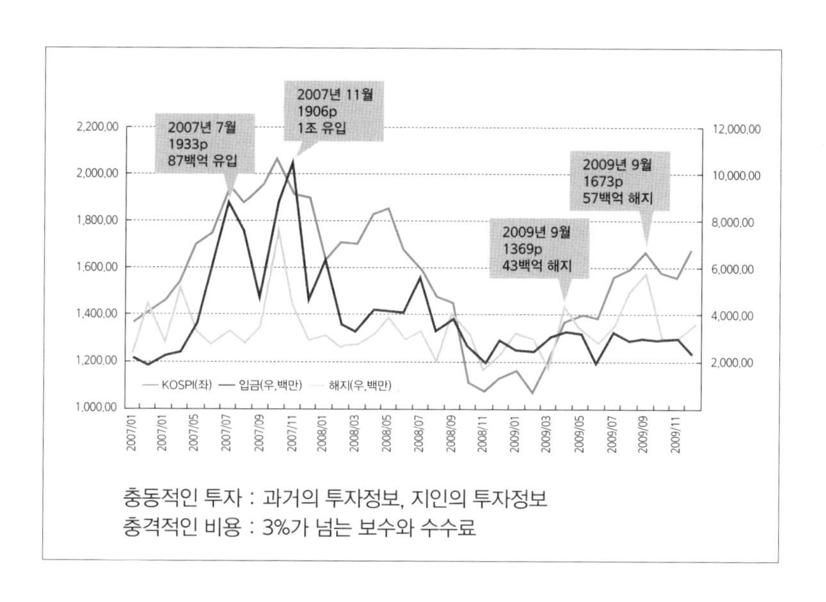

상기 그림은 2007년서부터 2009년 말까지의 시중 자금의 흐름을 나타내는 그래프이다. 2007년 KOSPI 지수가 2000선까지 상승하는 모습을 보이자 투자자들은 펀드에 꾸준히 자금을 유입하는 모습을 보인다. 이는 어쩌면 주가가 상승하는 모습을 보이자 이익에 동참하고자 하는 투자자가 증가하면서 나타난 당연한 일이라 볼 수 있다. 하지만 2007년 12월 KOSPI가 1500 선까지 급락하자 급속하게 투자자금의 유입을 줄인다. 이후 2008년 6월까지 KOSPI가 1800선까지 상승하자 펀드로 자금이 유입되는 모습을 보이더니 2009년 2월 주가가 900선까지 하락하자 펀드로의 자금유입은 거의 이루어지지 않는 모습을 보이고 있다.

이는 우리가 잘 알고 있는 적립식 투자의 장점을 완전히 뒤집는 투자행태이다. 적립식 투자란 주가가 떨어질 때 동일한 가격으로 전월보다 더 많은 주식을 매입하게 됨으로써 매입단가를 하락시키는 투자법이다. 이 투자가 성공을 거두려면 투자하는 기간에는 내내 하락하다가 내가 찾을 시점에서만 많이 올라 있으면 그야말로 대박의 성공을 거두게 된다. 하지만 위 그래프에서 투자자가 보인 투자행태는 이것과는 정 반대의 모습이 아닌가? 도대체 주가가 비쌀 때 매입하고 주가가 하락할 때 투자자금을 줄인다면 어떻게 매입단가를 하락시킬 수 있단 말인가?

환매의 경우에는 더욱 안타깝다. 2009년 3월 주가가 1350 선까지 상승하자 주가의 급락으로 인해 환매를 하지 못했던 투자자들이 너도나도 펀드를 환매해 손실을 축소하기 시작한다. 이때 펀드를 환매하지 않았던 수 많은 투자자들 조차도 주가가 1650선을 상회하자 바로 추가 환매를 실시해 일명 '본전 찾기' 를 시도하게 된다.

그 이후 과연 주가는 어디까지 상승했는가? 2011년 주가가 2170선까지 상승했음을 상기시켜 본다면 1350선에서 환매한 고객은 아마도 자신의 잘못된 투자결정에 대해서 후회하고 있을지 모른다. 하지만 투자시장에서 후회와 가정은 아무런 대안이 될 수 없음을 명심해야 한다. 1650선에서 환매한 투자자도 정도의 차이지 그 아쉬움을 금하지 못했을 것이다. 2017년 말 2,500을 넘어선 주가지수를 감안해 본다면 주가하락시기에 수 많은 투자자들의 행위는 합리적인 투자자의 모습이라고는 찾아볼 수 없는 행위임을 알 수 있다.

소위 전문가라고 하는 사람들에게 맡겨 놓았더니 큰 손실을 입어 내가 직접 투자해 손실을 만회하겠다고 했던 수 많은 개인투자자들 중에 과연 매월 펀드를 납입한 투자자보다 높은 수익을 창출해낸 고객은 과연 얼마나 될까?

상기의 사례에서 살펴볼 때 투자자들이 해야 할 일은 너무나도 간단한 일이 아닌가 싶다. 그것은 바로 매월 돈을 투자하는 것이다. 세상의 수 많은 금융기관들이 서로 투자자들의 돈을 굴려주겠다고 목 높여 소리치고 있다. 왜 이런 상황에서 굳이 그들과 맞서 싸우려고 하는가 ? 게다가 금융기관은 일반 투자자들보다도 훨씬 시장에 대해서 더 많은 정보와 역량을 가지고 있다는 것을 잘 알고 있지 않은가?

투자자가 정말로 해야 할 일은 매월 투자자금을 납입하되 금융기관들이 내 돈을 잘 굴리고 있는지에 대해 감시할 수 있는 역량을 갖추는 것이라 생각된다. 물론 이는 개별주식에 대해 직접 투자를 하고자 할 때의 노력과 정성에 비해 훨씬 덜 힘든 일이라 생각된다.

07

좋은 펀드를 고르는 방법

자산관리에 관한 고객 상담을 진행해 보면 좋은 펀드를 추천해 달라는 케이스를 많이 겪게 된다. 과연 투자자에게 있어 최선의 펀드란 과연 무엇일까?

1. 자신의 재무목표에 맞는 펀드를 가입하라.

예를 들어 당장 2년 뒤 은퇴자금으로 쓸 용도의 돈이 있다고 가정하자. 이러한 목적의 돈을 위험성이 매우 높은 주식형 펀드에 가입하고 막상 2년 뒤에 주식시장이 침체기에 빠지게 된다면 어떻게 할 것인가? 이번에는 반대로 20년 뒤에 은퇴자금으로 사용할 자금이라고 해 보자. 만약 이러한 자금을 안정성이 좋다고 년 2%도 되지 않는 수익을 주는 적금이나 정기예금, 채권형 펀드 등에 가입한다고 했을 때 2017년 2%대의 물가상승률을 감안할 때 이는 돈을 그냥 현재가치로 보관하는 것에 불과한 투자임을 알 수 있다. 이처럼 고객에게 있어 최선의 금융상품이란 고객의 재무목표에 부합하는 상품이어야 하는 것이 첫 번째로 명심해야 할 사안이라 할 수 있다.

2. 벤치마크 대비 안정적인 수익률을 확보하라.

2017년 초 펀드에서 많은 수익을 냈다는 60대의 노 고객 한 분을 뵌 적이 있다. 그 고객은 2015년도 A 증권사에서 권유한 펀드에 가입해 2년간 25%의 누적 수익률을 확보했다고 하면서 매우 흡족해 하셨다. 하지만 펀드의 수익률과 반드시 같이 비교해야 할 하나의 지표가 있다. 그것은 바로 시장의 KOSPI 지수이다. 일반적으로 펀드매니저가 운영하는 펀드(적극적 펀드)는 KOSPI 지수에 투자하는 일명 인덱스 펀드(소극적 펀드)보다 수수료가 높다. 소극적 펀드의 경우 일반적으로 1.5% 내외의 수수료를 때가는데 반해, 적극적 펀드의 경우 일반적으로 2.5% 내외의 수수료를 뗀다. 이러한 1%의 수수료 차이는 펀드매니저의 시장지수대비 우월한 종목선택 능력에 대한 보상이라고 할 수 있는 것이다.

여기서 2015~2017년도 KOSPI 지수의 상승률을 한번 살펴보고자 한다. 2015년 1월 4일 1918.6으로 시작한 KOSPI 지수는 2017.12월말에 2467.49로 마감하면서 2년간 28.6%에 이르는 상승률을 보였다. 이는 시장지수에만 그냥 투자했어도 28.6%의 수익은 나와야 한다는 것을 의미한다. 하지만 고객의 수익률은 어떠한가?

투자의 전문가라고 하는 펀드매니저가 직접 운영하는 A 펀드의 수익률이 25%에 머물렀다는 것은 펀드매니저의 종목선택이 잘못 이루어져 오히려 시장 수익률보다도 못한 수익을 냈다는 것으로 이해할 수 있는 것이다. 이러한 이야기를 들은 고객은 바로 주거래 증권사를 바꾸는 모습을 보인다.

이렇듯 주식형 펀드 상품에 투자함에 있어서 반드시 시장의 지수와 서로 비교하여 우수한 수익률을 시현하는 펀드를 고르는 것이 타당할 것이다. 특히 1년 내외의 단기 수익이 아닌 3~5년 동안의 기간 동안 벤치마크 대비 높은 수익률을 내는 지를 살펴보고, 수익률이 크게 변동하지 않는 안정적인 운영이 되는 펀드를 선택하는 것이 합리적 투자자의 의사결정이라 할 수 있다.

1년 수익률

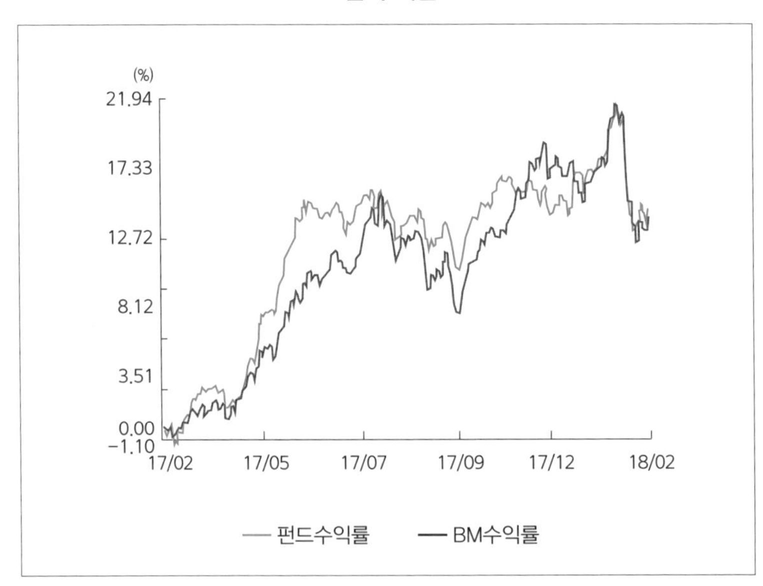

3. 수익률뿐만이 아니라 위험도 확인하라.

High Risk, High Return 이라는 말을 들어보았을 것이다. 이는 높은 수익을 얻기 위해서는 높은 위험을 감수해야 한다는 것을 의미한다. 펀드를 선택할 때 과거 수익률이 높은 펀드만을 선택하려고 하는 사람들이 많다. 하지만 여기에는 2가지의 함정이 있다. 첫 번째로는 우선 과거의 수익이 미래의 수익을 보장해주지는 못한다라는 것이다. 두 번째로는 과거 수익이 높은 것이 위험을 높게 가져간 것에 대한 보상일 수도 있다는 점에 유의하여야 한다는 것이다.

만약 위험을 높게 가져갔는데 시장이 좋아 높은 수익을 창출해 낸 상품의 경우, 시장이 급락할 경우 시장보다 더 크게 떨어질 수 있음은 당연한 것이라 할 수 있다. 따라서 그 상품이 위험을 감안해 얼마만큼의 수익을 창출해 냈는지를 살펴보는 것이 매우 중요하다.

그러한 측면에서 위험조정 수익률(샤프지수, 젠센의 알파 등)을 살펴 펀드를 선택하는 것을 습관화해야 한다. 샤프지수는 해당 펀드의 수익률을 표준편차(위험)로 나눈 값을 나타내는 것으로 값이 높을수록 위험조정 수익률이 좋다고 할 수 있다. 젠센의 알파는 시장대비 펀드매니저의 종목선택 능력을 측정하는 지수로 값이 클수록 펀드매니저의 종목 선택 능력이 우수하다고 할 수 있다.

기간누적위험분석

(2018. 2. 26. 단위 : %)

구분		3개월	6개월	1년	2년	3년	5년
표준편차(%)	표준편차(%)	22.36	18.24	15.18	12.53	13.08	11.62
	%순위	96	96	97	85	42	13
	유형평균	17.55	13.40	11.38	10.16	12.36	11.56
BM민감도(ß)	BM민감도(ß)	0.83	0.65	0.65	0.64	0.67	0.64
	%순위	28	14	15	13	5	4
	유형평균	0.75	0.76	0.74	0.74	0.81	0.77
Sharpe Ratio	Sharpe Ratio	0.75	0.82	1.57	1.28	0.89	0.81
	%순위	3	26	13	9	1	1
	유형평균	-0.38	0.64	1.22	0.71	0.29	0.08
젠센알파(%)	젠센알파(%)	36.92	12.54	14.23	7.45	7.39	8.50
	%순위	2	12	2	1	1	1
	유형평균	14.16	5.36	2.29	-2.96	-1.71	-0.20

4. 투자전략이 명확한 펀드를 골라라.

주식형펀드란 주식과 관련상품에 대한 투자비중이 60% 이상인 펀드를 이야기 한다. 반면 채권형 펀드는 주식에 대한 편입비중이 없이 채권과 관련 상품에 대한 투자 비중이 60% 이상인 펀드를 말한다.

투자자가 안정적인 투자수익을 창출하고자 하는 목적으로 채권형 펀드에 가입하였는데, 채권형 펀드를 운영하는 펀드매니저가 펀드에 대한 수익률을 높이고자 주식의 편입비중을 50%까지 상승시켜 높은 수익이 발생했다고 가정하자. 투자 수익이 높아졌으니 이 펀드에 계속 가입을 하는 것이 옳은 것일까?

투자자의 목적이 안정적 수익 확보라는 점은 채권형 펀드의 상품 특성상 당연한 것이라 할 수 있다. 하지만 이를 무시하고 펀드매니저가 독단적으로 주식에 대한 편입비중을 높인 것 자체는 투자자의 의사를 전혀 반영하지 않은 잘못된 행위임은 분명하다. 수익이 났더라고 하더라도 이는 명백한 위법행위이자 잘못된 펀드운영이라는 점에서 '~ 다운 투자'를 명확히 실행하는 펀드를 선택하는 것이 타당하다.

주식형 펀드 예시

펀드특징

이 투자신탁은 성장한 펀드로서 성장 잠재력이 있는 주식에 주로 투자하여 장기적으로 자본이득을 추구합니다. 이 투자신탁은 주식에의 투자는 60% 이상, 채권 등에의 투자는 40% 이하로 투자운용하는 주식형 상품입니다. 주식부문에서는 매출성장율이나 EPS 성장률이 높을 것이라 기대되는 기업 등에 투자할 계획입니다.

채권형 펀드 예시

펀드특징

이 투자신탁은 국공채 등 채권(60% 이상)에 주로 투자하는 채권형 투자신탁으로서 채권투자를 통해 이자소득 및 자본이득을 추구합니다. 후순위채권, 주식관련 사채, 사모사채권에 투자신탁재산의 40% 이하를 투자하며, 가중평균잔존만기 조절로 추가수익을 획득합니다.

5. 펀드의 순자산 규모를 확인하라.

3~5년 동안 벤치마크 대비 높은 수익을 올린 펀드를 잘 살펴보면 2가지 특징이 있음을 알 수 있다. 우선 펀드의 순자산 규모가 매우 크다는 것이다. 이는 시장 대비 우수한 수익을 내는 것을 확인한 투자자의 자금이 해당 펀드로 많이 유입되는 것을 의미하는 것으로 볼 수 있다. 따라서 펀드의 순자산 규모가 일정 수준 이상 확보된다면 이 펀드는 투자할 만한 펀드다라고 생각해도 무방하다고 볼 수 있다. 다만 펀드의 규모가 너무 커질 경우 펀드매니저가 투자수익을 제고할 만한 좋은 투자대상을 선택한다는 것이 사실적으로 어려워 시장 투자 수익률 수준을 벗어나지 못한다는 단점이 있기도 하다.

제로인 평가유형	배당주식
운용회사	신영운용
설정일	2003. 05. 26
클래스 순자산액	11,408억
패밀리 운용규모	29,112억 (초대형급)
1년 투자비용률	1.35 (평균수준)
판매수수료	
신탁보수율	1.35% (판매보수 0.91% 포함)

이렇게 순자산 규모가 큰 펀드는 또한 펀드매니저의 교체가 그리 많지 않다는 것을 알 수 있다. 펀드매니저가 투자철학을 지니고 안정적인 운영을 해야 해당 펀드의 수익률 변동폭이 크지 않을 것임은 어쩌면 당연한 일이라 할 수 있을 것이다.

6. 각 운영사의 대표 펀드를 선택하라
(여러 판매회사에서 동시에 판매하는 펀드)

TV 광고에서 선전되는 여러 명칭의 펀드를 떠올려보자. 대표적으로 많이 알려져 있는 것 들이 아마도 '삼성그룹 적립식 펀드', '내비게이터 펀드' 와 같은 것들이 생각된다. 이러한 각 사의 대표펀드는 그 운용사를 대표하는 상품이기 때문에 운용사 차원에서도 높은 관심을 기울이게 되면서, 해당 운용사에서 가장 뛰어난 펀드매니저들로 이루어진 팀에서 관리가 되는 것이 일반적이다. 또한 이러한 펀드들은 광고나 우수한 수익률 등에 의해 고객들에 대한 인지도가 높아지는 경향이 있어 은행, 보험사 등의 판매회사에서 서로 취급을 하고자 하기 때문에 여러 회사에서 동시에 판매되는 경향을 보인다. 많은 사람들이 찾게 되니 각 판매회사들은 판매수수료를 확보할 수 있어 좋고, 자산운용사 입장에서도 많은 자금이 몰리다 보니 자산운영에 있어서 자금 여력을 확보할 수 있어 좋고, 투자자 입장에서도 운용사가 더 많은 관심을 기울여 운영하다 보니 높은 수익률을 얻을 수 있는 기회를 확보할 가능성이 높아지는 등 투자와 관련한 모든 이해관계자들의 기대치를 충족시켜줄 가능성이 높아지게 된다.

7. 펀드선택에 관해 도움을 줄 수 있는 인터넷 사이트

위에서 언급한 여러 가지 정보를 제공하는 인터넷 사이트가 시장에 많은데 그 중 가장 많은 사람들이 활용하는 사이트가 펀드닥터나 모닝스타 코리아 등이다. 펀드닥터를 예를 들어 설명해보면 성과평가 등급이라고 하여 회사자체에서 정한 계산법에 의거 상위 10%의 펀드를 1등급(태극모양 5개)로 분류하고, 이후 23%의 펀드를 2등급으로 분류하는 등 투자자가 쉽게 알아볼 수 있도록 보여주고 있다.

등급	등급표시		ZI % Rank	
	정식등급(3년, 5년)	가등급(1년)	% Rank	누적 % Rank
1등급	●●●●●	●●●●●	10	10
2등급	●●●●○	●●●●○	23	33
3등급	●●●○○	●●●○○	34	67
4등급	●●○○○	●●○○○	23	90
5등급	●○○○○	●○○○○	10	100

이러한 사이트에서는 또한 수수료 및 보수에 관한 사항도 자세히 표기하고 있어 비용적 측면에 대한 부담이 얼마나 되는지 살펴볼 수 있다. 아울러 위에서 언급한 벤치마크 대비 수익률, 각 펀드의 특징, 펀드 순자산 규모 등에 대한 부분도 언급하고 있어 펀드를 선택함에 있어 큰 도움을 받을 수 있다.

1년 투자비용률	1.35 (평균수준)
판매수수료	
신탁보수율	1.35% (판매보수 0.91% 포함)

08

시장에 투자하라

앵무새 13.7%, 사람 -4.6%.

2009년 6월 25일부터 6주일 동안 진행된 앵무새와 사람의 주식 투자 대결 성적표다. 증권 포털사이트 팍스넷이 진행한 주식투자 대결에서 다섯 살짜리 파푸아뉴기니산 앵무새 '딸기'는 13.7%의 수익률을 기록해 전체 3위를 차지했다. 반면, 개인 투자자 10명은 평균 -4.6%의 수익률을 거뒀다. 이 가운데 7명은 투자 손실을 봤다.

앵무새는 매주 한차례 시가총액 상위 30위 안에 드는 회사 이름이 적힌 장난감 공 가운데 하나를 물어 주식을 구입하는 식으로 참가했다. 종목은 6개 종목 이내로 한정됐다. 딸기는 삼성전자와 한국전력, 메가스터디 등을 선택했다. 모두 11차례 거래했다. 개인 투자가는 6000만원 안에서 주식을 자유롭게 매매했다. 10명 가운데 6명은 투자경력이 5년을 넘었다. 이들의 평균 거래 횟수는 170회가 넘었다. 수익률을 높이려 애를 쓰며 거래를 했지만 결과는 앵무새

만도 못했다.

미국에서는 2000년 7월~2001년 5월 펀드매니저 4명과 아마추어 투자자 4명, 그리고 원숭이가 주식투자 수익률을 겨뤘는데, 결과는 원숭이가 -2.7%, 펀드매니저 -13.4%, 아마추어 투자자 -28.6%로 원숭이의 승리였다. 원숭이는 눈을 가리고 주식시세표에 다트를 던져 맞힌 종목을 사는 식으로 대회에 참가했다.

위의 2가지 사례에서 살펴볼 수 있는 격언은 바로 '시장에 투자하라.' 는 말로 표현해 볼 수 있다. 투자분야의 전문가라고 할 수 있는 펀드매니저가 원숭이보다도 낮은 수익률을 냈다는 사실은 실제로 주식시장에서 공부를 많이 하고 많은 경험을 한 사람이 반드시 승리한다고 볼 수 없다는 것을 의미한다. 펀드매니저의 종목선택 능력을 믿고 시장에 투자하는 인덱스 펀드보다 1% 상당의 수수료를 더 받는 적극적인 펀드를 선택하는 것이 무의미할 수 있다는 것이다.

구분	인덱스펀드	액티브 펀드 (일반 주식형 펀드)
운용목표	벤치마크 지수 (ex. KOSPI 200 수익률)	벤치마크 지수 대비 초과수익
운용방식	소극적 운영 (벤치마크 추적오차 최소화)	적극적 운영 (고수익 종목선정)
종목선택	지수(인덱스) 구성비율에 맞춤	펀드매니저가 판단
수수료	년 1.5% 내외	년 2.0 ~ 3.5%

1%의 비용차이를 무시할 수 있는 차이 아니냐고 반문하는 사람들

이 적지 않다. 맞다. 1~2년 동안의 단기 투자에 있어 1%의 수수료 차이는 아무것도 아닐 수 있다. 하지만 투자기간이 10~20년으로 길어지게 된다면 이는 무시할 수 없는 수치로 바뀌게 된다. 산술적으로만 따져도 1년에 1%의 수익이 비용으로 더 빠지게 되면 20년 뒤에는 20%의 수익이 더 나 있어야 인덱스 펀드와 동일한 수익이 나는 것으로 볼 수 있게 된다.

하지만 10~20년의 오랜 기간 동안 시장보다 더 높은 수익을 창출해 낸 펀드매니저나 위대한 투자자는 손에 꼽을 정도로 없다. 아마도 마젤란 펀드를 운영했던 피터 린치나 워런 버핏 같은 투자자를 제외하고는 생각도 잘 나지 않는다. 이러한 위대한 투자자는 극소수이다. 우리와 같은 일반 투자자는 1%의 추가 비용은 1%의 (-) 수익이라는 것을 감안해야 한다. 특히 투자기간이 길 경우에는 말이다. 펀드매니저의 장기 투자수익 창출이라는 명제를 의심하는 투자자라면 시장에 대한 투자를 하지 않을 이유가 없다.

또 다른 인덱스 펀드의 장점으로 인덱스는 시장에서 살아남은 기업만이 포함된다는 것을 들 수 있다. 일반적으로 시장에서 우량주라고 불리는 주식에 장기 투자를 진행하게 되면 높은 수익을 올릴 수 있다라는 말을 많이 들어보았을 것이다. 하지만 이는 주식시장의 오랜 역사를 되돌려 살펴보았을 때 맞지 않는 말이라 할 수 있다.

	종목명	현재 회사명
현재까지 다우 30에 속해 있는 종목군 (11개)	Aluminum Company of America	Alcoa
	American Express Company	(좌측과) 동일
	American Tel.& Tel.	AT&T
	Du Pont	동일
	Exxon Corporation	Exxon Mobil
	GE	동일
	IBM	동일
	Merck	동일
	Minnesota Mining & Mfg.	3M
	P&G	동일
	United Technologies	동일

	종목명	다우지수에서 제외된 일자
다우 30 지수에서 제외된 종목군 (18개)	American Tobacco B	1985-10-30
	General Foods	1985-10-30
	Inco	1987-03-12
	Owens-Illinois Glass	1987-03-12
	International Harvester	1991-05-06
	US. Steel	1991-05-06
	Bethlehem Steel	1997-03-17
	Texaco Incorporated	1997-03-17
	Westinghouse Electric	1997-03-17
	Woolworth	1997-03-17
	Standard Oil of Califonia	1999-11-01
	Goodyear	1999-11-01
	Sears Roebuck & Company	1999-11-01
	Union Carbide	1999-11-01
	Eastman Kodak	2004-04-08
	International Paper	2004-04-08
	Allied Chemical	2008-02-19
	GM	2009-06-01
	American Can (Citigroup으로 사명 변경)	2009-06-01

자료 : Dow Jones

1982년 초 미국의 대표적 블루칩 30개의 생존확률은 11/30 (36.7%) 밖에 되지 않는다. 많게 잡아 40%라고 해도 10개 중 6개의 기업은 주식시장에서 사라진다는 것이다. 투자시점 당시 우량주로 인식해 투자해 놓은 기업이 일정 기간 이후 망하게 된다면 그 기업에 직접 투자한 투자자의 자산은 "0"에 불과하게 된다.

하지만 인덱스는 다르다. 인덱스 펀드에 편입되는 자산은 항상 시장에서 살아남은 기업만이 포함되게 되어 있다. 예를 들어 시가총액 상위기업 중 망하는 회사가 발생할 경우 그 회사는 인덱스 지표에서 빠지게 되고 새로운 기업이 들어가게 된다. 결국 인덱스는 시장에서 생존한 기업만을 포함시킴으로써 개별기업의 파산 위험에서 비롯

되는 손실위험에서 벗어날 수 있는 장점을 지니고 있는 것이다. 즉 주가지수는 승자의 역사임을 감안하라는 것이다.

Chapter

05

잃지 않는 투자가 중요하다

2장에서 언급했던 것처럼 실질금리 (–)의 시대에는 인플레이션을 헷지하는 투자가 이루어져야 현재 자산의 실질가치를 유지할 수 있게 된다. 따라서 인플레이션을 헷지하기 위해 2%대의 저금리 수익을 추구하는 정기예금 등의 상품이 아닌 6~8% 내외의 높은 수익을 창출하는 시장을 찾아 투자하는 것이 필요하다고 강조하였다.

지금까지 우리나라에서 6~8%대의 수익을 창출해낸 시장은 누가 뭐래도 단연 '부동산 시장' 이라고 할 수 있다. 강남 아파트 하면 아직도 대한민국에서 가장 좋은 투자처라고 믿는 투자자가 적지 않으며, 대한민국의 영토가 그리 넓지 않다는 이유에서 토지투자에 대한 매력 또한 작지 않다고 주장하는 사람들 또한 상당수 존재한다.

하지만 5장 서문에서 살펴보았듯이 향후 우리나라의 자금 흐름은 부동산 등의 실물 자산에서 주식, 채권, 보험 등의 금융상품으로 이어질 가능성이 높다. 실제로 ○○금융지주 경영연구소가 2015년 발표한 '주택시장의 투자수익률 분석' 보고서를 보면 지난 20년간 전국에서 가장 많이 오른 개포동 모 아파트의 누적수익률은 1,074%로 삼성전자의 누적수익률(5469%)을 크게 밑도는 것으로 나타났다.

게다가 삼성전자 주식은 적은 돈으로도 투자가 가능한 자산이지만, 개포동 아파트는 수억원 상당의 자금이 투자되어야 하는 자산이라는 점에서 일반 투자자가 활용하기 어렵다. 결국 일반 투자자가 금융시장에 더 많은 관심을 가져야 하는 이유다.

전국에서 가장 비싼 아파트 단지 50곳 가운데 대표적인 아파트 10곳의 지난 10년간 누적수익률도 주식보다 낮았다. 반포 주공1단지의 누적수익률은 373%로 삼성전자 수익률(396%)과 비슷했지만 다른 아파트는 대체로 200%대에 머물렀다. 최근 5년간을 보면 총 10곳의 아파트 중 2곳이 마이너스 수익률을 기록하는 등 원금을 까먹는 사례도 있었다.

이러한 점들을 살펴볼 때 향후 부동산이 아닌 금융자산으로의 자금흐름이 이뤄질 것이라는 가정의 타당성이 인정되며, 인플레이션을 헷지할 만큼의 높은 수익을 창출할 수 있는 시장은 금융시장, 그 중에서도 단연코 주식시장이라 할 수 있을 것이다.

1980년대 100으로 시작한 KOSPI는 2018년 장중 2600선까지 상승하면서 시가총액이 26배 상승하는 모습을 보였다. 이는 38여년의 기간 동안 수 많은 부침이 있었음에도 불구하고 년 6~8%의 평균 수익률을 주식시장으로부터 확보할 수 있었다는 것을 반증하는 것이라 볼 수 있다.

그럼에도 불구하고 주식시장에 대한 투자를 주저하는 사람들이 많다. 이는 주식시장의 수익률이 높다고 하더라도 상승과 하락의 변동폭이 너무 커 위험하다고 생각하기 때문이다. 결국 6~8%대의 높은 수익을 창출하기 위해서는 주식이라는 위험자산에 자산의 일부분을 편입해야 함에도 불구하고 자산가치 손실에 대한 위험성에 대한 인식으로 투자를 하지 못하고 있는 것이다. 결국 주식 등의 위험자산 시장에 투자함에 있어서는 얼마나 높은 수익을 창출해 낼 수 있는가가 중요한 것이 아니라 "얼마나 위험을 줄이면서 안정적인 수익을 창출해 내는가?"가 핵심 투자전제임을 알 수 있다.

Chapter 5에서는 위험자산 시장에 투자하면서 안정적인 투자수익을 창출해내는 여러 가지 투자원칙을 살펴보는 시간을 갖고자 한다.

01

잃지 않는 투자의 중요성

2008년 금융위기의 시대로 다시 되돌아가 보자. 2008년도 1월 1853.45로 시작한 KOSPI 지수는 12월 1124.47로 마감하면서 −39.33%의 손실을 입게 된다. 금융위기의 극복과정이었던 2009년도 KOSPI는 1월에 1157.4로 시작해 12월에 1682.77을 기록하면서 45.39%의 수익을 기록하게 된다.

구분	2008.1.2	2008.12.30	수익률(%)	2009.1.2	2009.12.30	수익률(%)
KOSPI	1853.45	1124.47	−39.33	1157.40	1682.77	45.39

2008년과 2009년의 수익률을 비교할 때 투자자들은 이런 생각을 한다. 2008년에 −39.33%의 손실이 발생하고 2009년에 45.39%의 수익이 났으니 평균해 보면 (+)의 수익이 난 것이라고 말이다. 하지만 이는 사실과 다르다. 2008년 1월 2일 KOSPI 지수는 1853.45 였으나 2009년 12월 30일의 KOSPI 지수는 1682.77로서 아직도 원금 대비 (−) 손실을 기록하고 있기 때문이다.

이는 2008년 1월 당시 큰 규모였던 자금의 40% 상당이 손실을 입은 상태에서, 2009년도 작아져 있는 자금의 45%가 이익을 발생시킨다고 해서 산술적으로 (+)의 이익이 나는 것은 아니라는 것을 보여 준다.

결국 주식시장은 크게 잃더라도 크게 먹을 수 있기 때문에 손실을 보는 것보단 이익의 기회가 더 많다라는 시장의 일반 투자자들의 생각은 큰 오류가 있다고 말할 수 있다.

이에 반해 주식과 채권에 50:50의 비중으로 분산 투자하는 K사의 혼합형 펀드를 살펴보자. 2008년 1월 기준가격 1162.84로 시작했던 혼합형 펀드는 2008년 12월 1085.95의 기준가를 기록하면서 −6.61%의 손실을 기록한다. 2009년도 1월 이 혼합형 펀드는 기준가 1094.01에서 시작해 12월 1271.92를 기록하면서 16.26%의 수익을 낸다.

구분	2008.1.2	2008.12.30	수익률(%)	2009.1.2	2009.12.30	수익률(%)
K사 혼합형펀드	1162.84	1085.95	−6.61	1094.01	1271.92	16.26

이러한 혼합형 펀드는 KOSPI 지수 대비해서 덜 내리고 덜 상승하는 한마디로 말해 우리나라 투자자들이 좋아하지 않는 밋밋한 형태의 상품이라 할 수 있다. 적게 내렸으니 적게 먹는다라고 표현할 수 있을 것이다.

하지만 KOSPI 지수에 대한 투자가 2008년~2009년 2년간 수익이 원금 손실(-) 였던 점과 비교해 혼합형 펀드에 대한 투자수익률은 (+) 수익이 났음을 주지해야 한다. 즉 2008년 1월 K 사 혼합형 펀드의 기준가는 1162.84에 시작해 2009년 12월 1271.92를 기록하면서 9.3% 상당의 이익이 발생했음을 알 수 있다.

이러한 자료가 시장의 투자자들에게 의미하는 바는 분명하다. 투자형 금융상품 시장에서 중요한 것은 바로 얼마만큼의 높은 수익을 창출해 낼 것인가가 아닌 얼마만큼 위험을 줄일 수 있는 것인가 라는 명제이다.

−40%의 손실을 발생시킨 KOSPI 지수가 익년도에 45%의 추가 수익을 냈음에도 불구하고 아직 원금회복을 하지 못한 반면, 첫해에 −7% 상당의 손실을 발생시킨 K사의 혼합펀드는 익년도에 16%의 수익상승에도 9% 상당의 수익이 발생했다라는 것은 잃지 않는 것이 얼마만큼이나 투자수익에 중요한 영향을 미치는 지에 대한 반증이라 할 수 있는 것이기 때문이다.

오마하의 현인이라 불리 우는 세계적인 투자의 대가 워런 버핏도 '잃지 않는 투자'의 중요성을 강조하는 조언을 하고 있다.

• 버크셔 해서웨이사 워런 버핏의 조언 •

첫째, 돈을 잃지 마라
둘째, 첫째 원칙을 절대로 잊지 마라

결국 워런 버핏이 강조하는 바는 오로지 "잃지 마라." ," 잃지 마라."인 것이다.

이 조언은 '-50 = 100'과 같다는 조언으로 재해석할 수 있다. 투자한 자본의 절반을 잃었을 때 본전을 되찾기 위해서는 100%의 수익을 올려야 한다는 것이다. 위에서 언급한 2008년 금융위기 당시만큼 이 조언이 잘 적용되는 해가 없는 것 같다.

결국 금융시장에서의 성패는 잃지 않는 것에 달려 있다는 단순한 명제를 실천하기 위해 투자자들은 과연 어떠한 방법으로 투자를 실행하는 것이 바람직할까?

02

잃지 않는 투자를 위한 첫 번째 투자원칙 : 분산 투자

분산 투자의 원칙과 관련해 미국 대형 연기금의 투자성과를 분석한 BHB의 논문을 살펴보면 대형 연기금의 운용 수익 중 91.3%가 자산배분 즉 분산 투자에 의한 부분으로 이루어지며, 쌀 때 사서 비쌀 때 판다는 마켓타이밍은 고작 1.2%, 다른 종목보다 우량한 종목을 선택한다는 종목선택은 3.8% 밖에는 기여하지 못한다고 설명하고 있다.

그만큼 포트폴리오 수익률에 있어 자산배분 즉 분산 투자가 중요하다는 것을 언급하고 있는 것이다.

투자수익 기여효과

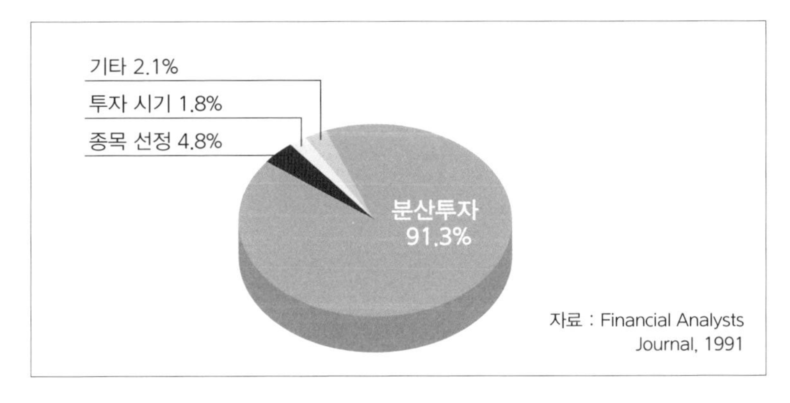

분산 투자의 기본 목표는 '수익의 극대화'가 아닌' 위험의 최소화'이다. 서로 반대로 움직이는 특성을 가지는 자산으로 포트폴리오를 구축함으로써 수익률을 안정화시키면서 위험 최소화라는 목표를 이룰 수 있게 된다.

금융시장에 있어 분산 투자의 원칙이라고 하면 아마도 위험자산인 주식과 안전자산인 채권에 대한 포트폴리오 구축을 예로 들을 수 있다.

주식과 채권의 분산 투자를 통한 위험 감소의 효과를 가장 실감나게 체감할 수 있는 것이 아마도 2008년의 금융위기의 사례가 아닌 듯싶다. 주가가 하루에도 10%씩 하락하는 공포의 시기에 과연 분산 투자의 효과가 얼마나 컸는지를 한번 살펴보자.

다음 표는 금융위기가 절정에 달하던 시기에 KOSPI 지수의 등락폭과 주식과 채권에 50%씩 분산 투자가 되어 있는 K사의 혼합형펀드 기준가격 등락폭을 서로 비교해 놓은 자료이다.

일자	주가지수	등락폭	변액혼합형펀드	등락폭	차이
2008. 10. 24	938.8 (54%↓, 118%↑)	△110.9 (−10.56%)	1209.8 (28%↓, 39%↑)	△54.4 (−4.30%)	56.5 (6.26%)
2008. 10. 23	1049.7		1264.2		
2008. 10. 16	1213.8	△126.5 (−9.44%)	1330.9	△64.4 (−4.62%)	62.1 (4.82%)
2008. 10. 15	1340.3		1395.3		
2008. 09. 01	1414.4	△59.8 (−4.06%)	1398.9	△29.7 (−2.08%)	30.1 (1.98%)
2008. 08. 29	1474.2		1428.6		
2008. 01. 28	1627.2	△65.2 (−4.18%)	1493.5	△26.4 (−1.73%)	38.8 (2.45%)
2008. 01. 25	1692.4		1519.9		
2007. 11. 08	1979.5	△63.6 (−3.32%)	1652.5	△25.6 (−1.52%)	38.0 (1.80%)
2007. 11. 07	2043.2		1678.1		

시장의 KOSPI 지수가 하루에 50P는 우습게 하락하던 2008년 금융위기 시절 주식에 대한 편입비중이 50% 미만이었던 K사의 혼합형 펀드의 기준가격은 KOSPI 지수 하락률의 50%에도 미치지 못하는 손실을 기록하였다. 이는 채권에 투자된 50%의 금액이 경기침체에 따른 중앙은행의 금리 인하 정책과 맞물려 채권의 가격을 상승시켰기 때문으로 이해할 수 있다.

결국 금융위기에 따른 주식시장의 붕괴에도 불구하고 분산 투자되어 있던 혼합형 펀드의 경우 그 손실폭을 감소시켜 −50%의 고통스러운 손실의 시기를 보다 편안한 마음으로 대응하게 할 수 있는 여지를 만들어 준 것이라 할 수 있다.

KOSPI vs K사 혼합형 펀드 상호 비교 (누적수익률)

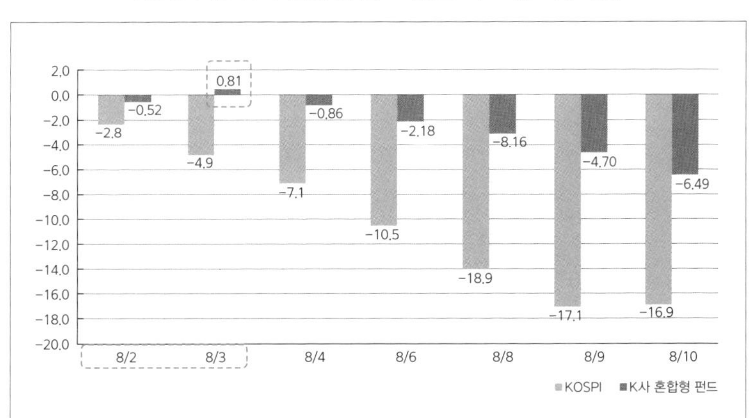

• 2일간(8.2~3) 금리 하락 : 3년 만기 국채 및 회사채 0.08% ↓
금리하락으로 인한 채권가격 상승이 주가하락폭을 방어해 내는 모습을 보임.

case study

일반 투자자의 입장에서 분산 투자의 원칙을 강조하면 대개 이러한 말을 듣는다. "벌어 들이는 수입이 얼마나 된다고 분산 투자를 하나? 그냥 대박을 먹을 수 있는 종목에 투자해 한탕 크게 벌 방법을 찾는 것이 낫다"

대박에 대한 환상을 가진 채 주식시장에 투자하는 사람들 중 거의 모든 사람들이 결론적으로는 실패하는 모습을 보이는 것이 일반적이다. 시장에서 100억을 벌었다는 소위 슈퍼개미 라는 사람들조차 일정 시기 이후에 횡령 등의 사건으로 구속되었다는 언론의 기사들을 심심치 않게 보기도 한다. 이는 어쩌면 당연한 귀결일지도 모른다. 높은 수익을 추구하는 자는 그 이면에 반드시 높은 위험을 깔고 투자하기 때문이다. 결국 큰 위험을 안고 투자하는 사람들의 경우 일시적으로는 큰 수익을 얻는 것이 가능하지만, 지속적으로 높은 수익을 얻는 것은 극히 어려울 것임을 자명하다. 결국은 투자자 본인이 지니고 있던 높은 위험이 결국 그 사람을 지극한 손실로 이끌게 되는 것이 다반사다. 이를 시장의 투자자들은 High Risk, High Return 이라고 표현하고 있는 것이다.

위험을 축소시키고 적정한 수익을 창출한다는 것이 그래서 중요하다. 즉 분산 투자의 원칙이 금융시장에서 그 무엇보다도 중요한 것이라 할 수 있는 것이다.

03

잃지 않는 투자를 위한 두 번째 투자원칙 : 적립식 투자

적립식 펀드라는 용어를 대한민국 투자시장에 불러일으킨 적립식 투자의 원칙은 시장의 투자자라면 누구라도 알고 있을 만큼 잘 알려져 있는 원칙이다. 실제로 적립식 투자는 투자자의 입장에서 주식시장의 최고점과 최저점을 예측할 수 없다는 기본 전제에서 시작되었다.

적립식 투자를 시점에 대한 분산 투자의 개념으로 생각해 보면 더 쉽게 이해될 것이다. 투자자금을 일시에 투자하지 않고 시점을 나누어 계속 투자하게 되면 시장의 변동성을 그만큼 줄일 수 있게 된다.

너무나도 널리 알려진 이 원칙에 대해 두 개의 그래프를 보면서 이야기를 시작하고자 한다.

A라는 투자자가 만약 KOSPI 1,700선에서 매월 100만원씩 매달 가입한다고 가정해보자. 주가가 만약 1,100까지 하락한다면 그 동

안 넣었던 적립금이 모두 (–)의 손실을 기록하게 된다. 하지만 주식 시장은 일반적으로 경기에 따라 상승과 하락의 사이클을 그린다는 점을 감안할 때 언젠가 상승하는 방향으로 전환될 것임을 예측해 볼 수 있다. 만약 주가가 상승세로 전환하게 되면 A 투자자는 상승 이후에 투자했던 모든 자금이 (+)로 전환되는 것은 당연하고, 그 이전 손실구간에 투입했던 일부 적립금도 (+)로 전환될 것이다.

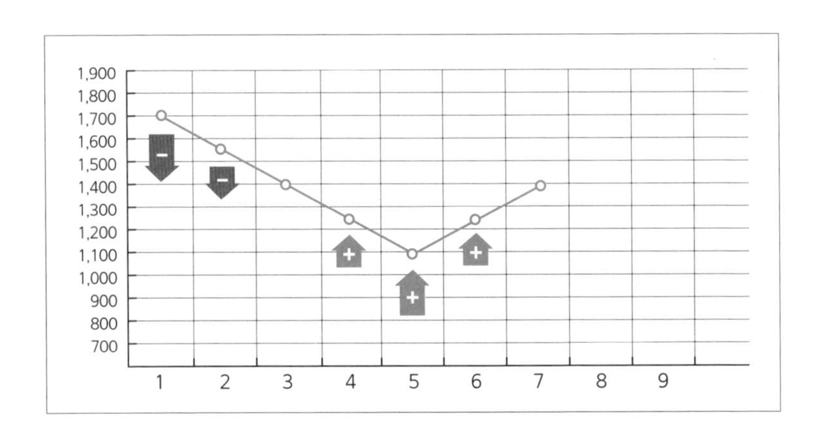

만약 하락했던 주가가 초기 투자시점의 주가까지 회복된다면 내가 투자한 전 기간에 대한 수익률이 (+)로 전환되는 모습을 보이게 된다. 이것이 적립식 투자의 힘이다. 주가가 하락했던 시기에 투자된 금액은 가격이 하락한 주식을 더욱 많이 매입해 전반적인 매입단가 하락의 효과를 가져오게 되고, 이에 따라 KOSPI 지수가 이전 투자시점의 수준을 회복하기 이전에 이미 원금을 회복하는 모습을 보이게 되는 것이다.

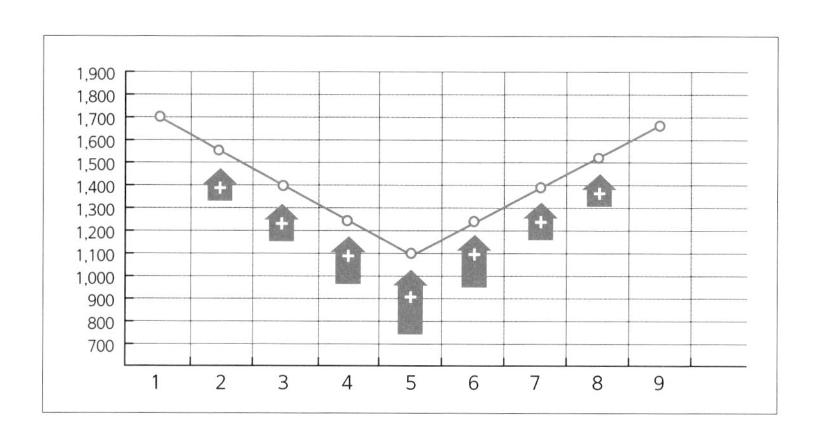
1,900
1,800
1,700
1,600
1,500
1,400
1,300
1,200
1,100
1,000
900
800
700
1
2
3
4
5
6
7
8
9

1. 적립식 투자는 만능의 투자법?

그렇다고 해서 적립식 투자가 만능의 투자법이라고는 볼 수 없다. 적립식 투자가 일반 거치식 투자에 비해 큰 이익을 낼 수 있는 경우는 주가가 하락했다가 상승하는 케이스(그림 1)라고 볼 수 있다. 주가가 지속적으로 하락하는 경우(그림 2)에도 적립식 투자는 나름대로의 메리트를 지니고 있다 있다. 주가하락으로 인한 매입단가 하락효과가 전체 포트폴리오에서 발생한 손실을 일정부분 막아줄 수 있기 때문이다.

• **보합 트렌드**
(500→400→300→400→500)

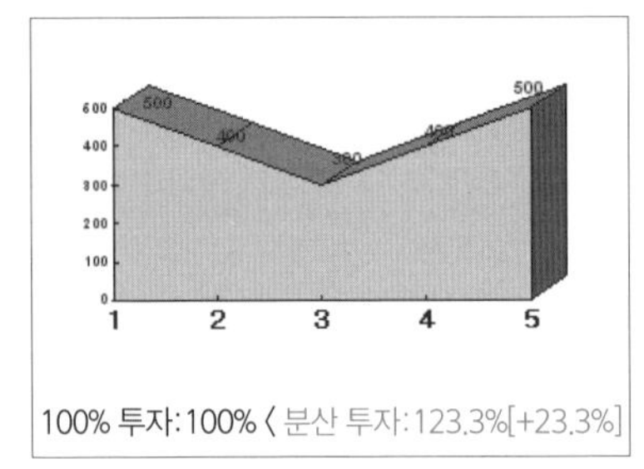

• **하향 트렌드**
(500→400→300→300→400)

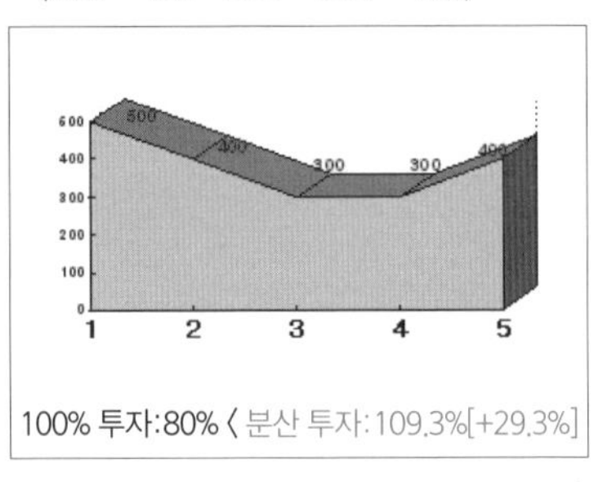

하지만 주가가 지속적으로 꾸준히 상승하는 시장(그림 4)에서는 거치식 투자가 훨씬 유리하다. 주가상승에 따라 매입단가를 하락시키지 못하고 오히려 상승하기 때문이다. 주가가 상승했다가 하락하는 케이스(그림 3)에서는 적립식 투자의 손실폭이 더욱 커지게 된다. 이는 주가 상승시 매입했던 매입단가 상승의 효과가 나중에 찾을 시점에서 주가가 하락함에 따라 손실폭을 키우기 때문이라고 볼 수 있다.

• **역 보합 트렌드**
(초기 5년간 매월 1% 상승, 이후 5년 1% 하락)

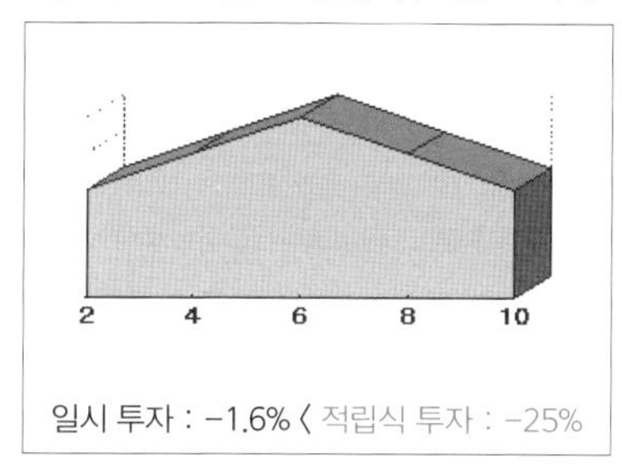

• **상승 트렌드**
(10년간 매월 1%씩 수익률 상승)

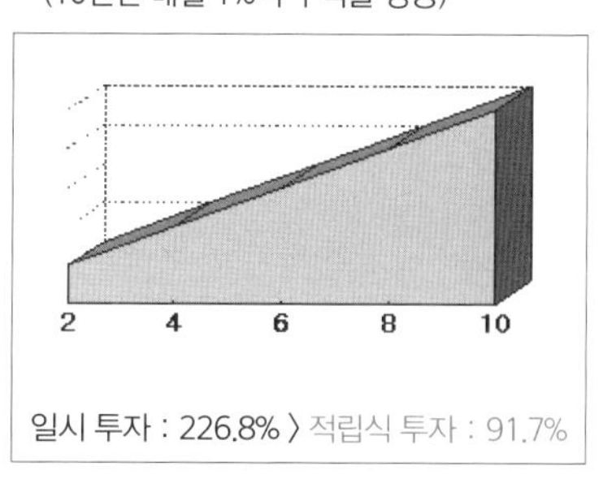

2. 적립식 투자의 수익률 제고 방법–Auto–rebalancing

실제로 주가가 계속 상승하는 경우는 주가 사이클 상 흔히 발생하는 점이 아니라는 점에서 앞의 그림 4의 케이스는 현실에서 발생하기가 쉽지 않다라고 볼 수 있다. 만약 주가가 지속적으로 상승하는 상황이 실제 발생하더라도 일반 투자자들이 일시에 목돈을 투자하는 경우가 쉽지 않다는 점에서 적립식 투자와 그림 4를 연결해 설명하는 것은 그다지 타당치 않다고 생각된다.

그렇다면 적립식 펀드의 투자와 관련해 가장 위험성이 큰 경우는 주가가 상승했다가 하락하는 그림 3의 경우가 될 것이다.

만약 적립식 투자를 하고 있는 투자자 A에게 그림 3과 같이 주가가 상승했다가 하락하는 주가 사이클이 적용된다면 어떠한 방법으로 적립식 투자를 통한 수익률을 제고할 수 있겠는가?

이럴 경우 고려해 볼 수 있는 방법이 바로 분산 투자를 기본으로 하는 Auto-rebalancing 전략이라 볼 수 있다. 이 전략은 일정한 금액의 비율로 주식과 채권간의 자산배분을 기계적으로 실행하는 전략을 말한다.

주식상승 → 주식매도·채권매수 →

구분	가격	점유율
주식	1,000	50%
채권	1,000	50%

구분	가격	점유율
주식	1,200	55%
채권	1,000	45%

구분	가격	점유율
주식	1,100	50%
채권	1,100	50%

이 전략에 의하면 주식과 채권에 각각 1,000만원씩 50% 분산 투자한 투자자가 주식가격의 상승(1200만원)이 발생할 경우 가격이 상승한 주식을 매도(100만)하고 가격이 하락한 채권을 매수(100만)해 주식과 채권의 비중을 동일하게 맞추게 된다.

이 전략의 특징은 일정시점마다 포트폴리오를 재평가해 상승한 자산을 매도해 하락한 재산을 매입하는 전략을 자동적으로 실행해 주는 것에 있다. 즉 가격이 상승해 고평가된 자산을 매도하고, 가격이 하락해 저평가된 자산을 매수함에 따라서 고점에서의 이익실현과 저점에서의 저가매수를 동시에 시행할 수 있다라는 것이다.

이 전략을 그림 3의 케이스에 대응해 보면 주가가 상승하게 되면 주식을 매도해 저평가된 채권을 매입하게 되고, 반대로 주가가 하락할 경우에는 고평가된 채권을 매도하고, 저평가된 주식을 매입함으로써 손익을 안정적으로 관리할 수 있게 된다.

이 전략은 투자기간 동안 주가가 지지부진하게 움직일 경우에도 효과적으로 적용할 수 있다. 주가가 하락함에 따라 발생하는 매입단가 하락의 효과를 주가가 일정부분 상승했을 시점에서 매도해 이익을 창출해 낼 수 있기 때문이다.

따라서 오토 리밸런싱 전략은 투자자의 입장에서 향후 주가가 횡보장을 거듭할 것이다라고 예측하는 경우와 주가가 상승했다가 하락기조로 접어들 것이라는 예측을 하고 있는 경우에 타당한 투자전략이라 할 수 있다.

04

잃지 않는 투자를 위한 세 번째 투자원칙 : 장기 투자 (투자기간을 확보하라)

잃지 않는 투자를 위한 제 1원칙으로서 분산 투자의 원칙을 언급한 바 있다. 하지만 투자금액 자체가 그리 크지 않아 분산 투자를 한다는 것 자체에 대해 일반 시장의 투자자들은 그리 썩 내켜하지는 않는다. 분산 투자의 효과를 극대화 시켜줄 수 있는 최적의 방법이 바로 투자기간을 길게 하는 것. 즉 장기투자의 효과이다.

예를 한번 들어보자. 1,000만원의 원금을 일정한 수익률로 단위기간별로 투자한다고 가정해보자.

구분	3%	5%	7%	10%	13%	15%
10년	13,439,164	16,288,946	19,671,514	25,937,425	33,945,674	40,455,577
20년	18,061,112	26,532,977	38,696,845	67,274,999	115,230,878	163,665,374
30년	24,272,625	43,219,424	76,122,550	174,494,023	391,158,980	662,117,720
40년	32,620,378	70,399,887	149,744,578	452,592,556	1,327,815,516	2,678,635,462
50년	43,839,060	114,673,998	294,570,251	1,173,908,529	4,507,359,252	10,836,574,416

우리는 지금까지 인플레이션 헷지를 위해 위험자산 시장인 주식

시장에 투자해야 한다고 언급하였으며, 80년대 이후 지금까지 우리나라 주식시장은 년 평균 10%내외의 수익을 창출해 냈다는 것을 확인한 바 있다. 따라서 주식시장에서의 투자수익률을 10%로 추정해 장기투자의 효과성을 검토해 보고자 한다.

만약 년 10%의 수익률로 80년대 초반에 주식시장에 1,000만원을 투자했다면 30년이 지난 지금 내 투자원리금은 1억 7,450만원 상당의 자금이 되어 있을 것이다. 만약 투자기간을 지금서부터 10년을 더 증가시킬 경우 투자원리금은 4억 5,260만원이 되어 현 시점보다 2.6배 상승할 것이다. 만약 지금서부터 20년의 투자기간을 더 확보할 수 있다면 투자원리금은 11억 7,390만원으로 상승해 현 시점보다 6.7배 상승하는 모습을 보일 것이다.

미래에 만들고자 하는 돈

= 현재 돈 × (1+이자율)^{시간}

자산의 미래가치는 자산의 현재가치에 (1+이자율)의 시간 승수로 계산된다. 결국은 자산의 미래가치를 높이기 위해서는 자산의 현재가치를 증가시키거나, 투자수익률을 높이는 것, 또한 투자의 기간을 증가시키는 방법 밖에는 없음을 알 수 있다. 시장의 개인 투자자들이 투자하는 투자여력 자체가 크지 않음을 감안할 때 투자하는 자산의 현재가치를 증가시키는 것은 어려운 일임이 분명하다. 수익률 또한 투자의 대가라 불리는 워렌 버핏 조차 자기자본 수익률(ROE)가 15% 상당을 얻으려고 투자한다는 이야기들을 감안해 볼 때 개인 투자자의 입장에서 10% 이상의 수익률을 금융시장에서 확보한다는 것은 단기적으로는 가능해도 오랜 기간 동안 꾸준히 수익을 창출해 낸다는 것은 실제로 거의 불가능한 일이 될 것이다.

결국은 투자자의 입장에서 미래에 일정한 자산을 확보하기 위해서 수행 가능한 일은 오직 하나일 뿐이다. 바로 투자기간을 확보하는 것이라 볼 수 있다.

1. 장기투자의 진정한 효과

미국 와튼 경영대학원의 제레미 시겔 교수는 〈주식투자 바이블〉이라는 저서에서 1802년부터 1997년까지 약 200여년간의 미국 주식시장 데이터 분석을 통해 단기적으로는 주식이 현금이나 채권 등에 비해 더 위험한 투자자산일 수 있지만, 투자기간을 10년 이상 확보할 경우 안정적이면서도 높은 수익을 낼 수 있다는 사실을 증명해낸 바 있다.

10년 이상 투자시 최저수익도(+)

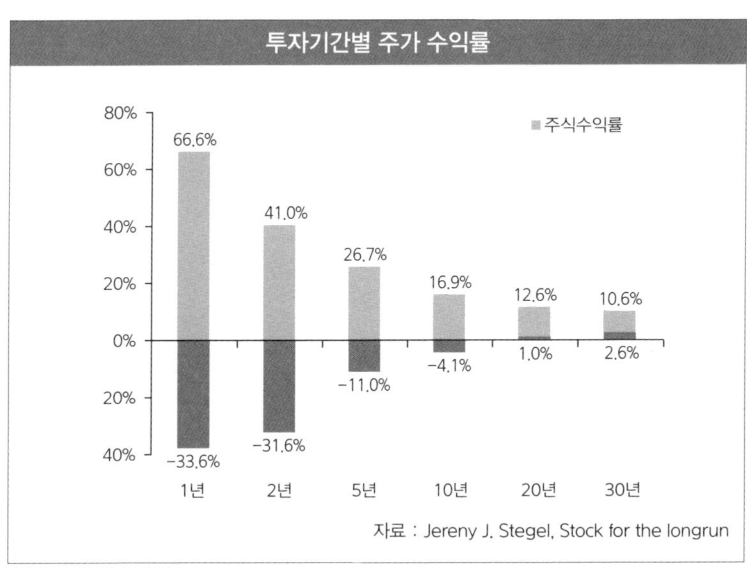

자료 : Jereny J. Stegel, Stock for the longrun

제레미 시겔 교수에 의하면 투자기간이 1년 이내일 경우 주식시장에서의 평균 수익률은 66.6%~-33.6% 사이에 위치해 변동성이 매우 크게 나타난다고 말하고 있다. 하지만 투자기간을 증가시켜 나갈수록 이러한 변동성은 크게 축소되는 모습을 보이게 된다. 투자기간을 5년으로 증가시킬 경우 주식시장 평균 수익률의 분포는 26.7%~−11%로, 10년으로 증가시킬 경우 16.9%~−4.1%로 위험자산 시장 특유의 변동성이 크게 줄어드는 모습을 확인해 볼 수 있다. 투자기간을 20년 이상 확보할 경우 12.6%~1.07 %로 최저 수익률 또한 (+)의 값을 나타냄을 알 수 있다.

투자기간을 길게 확보할 경우 포트폴리오에 위험자산의 비중을 높임에도 불구하고 안정적인 수익을 확보할 수 있는 기회를 가져갈 수 있다.

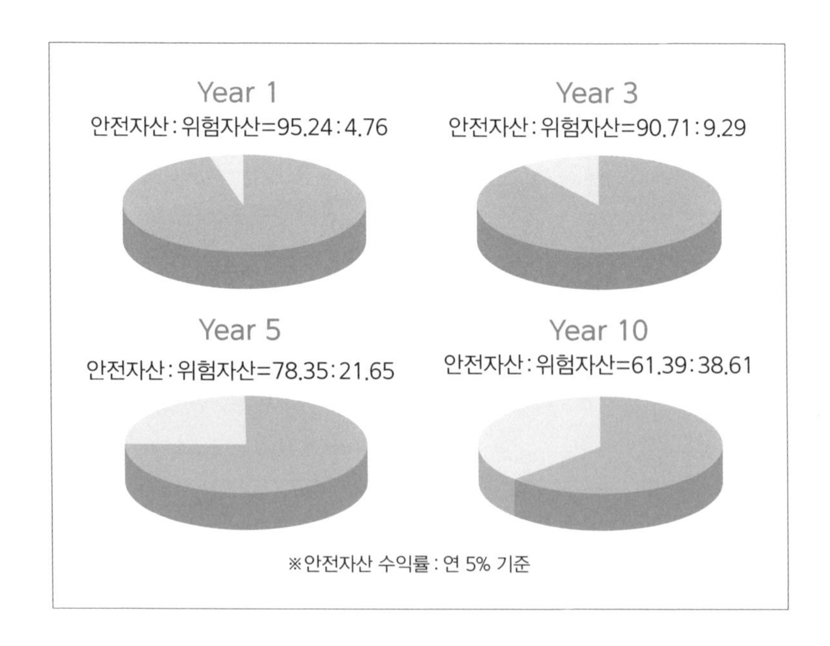

안전자산의 수익률을 5%로 가정했을때 만약 1년의 투자기간 밖에 확보하지 못할 경우 원금 보장을 위해 포트폴리오 내에 안전자산의 편입비중을 95.24% 만큼 확보해야 한다. 이에 따라 포트폴리오 내 위험자산의 편입 비중은 4.76%에 불과하게 된다. 위험자산에서 손실이 100% 발생하더라도 95.24%의 비중을 지닌 안전자산이 1년 동안 5%의 수익을 창출할 경우 투자한 원금을 보장받을 수 있기 때문이다.

반면 10년의 투자기간을 확보할 경우 안전자산의 비중을 61.39% 만 유지를 해도 안전자산에서 년 5%의 수익률을 확보한다고 가정할 경우 원금의 보장이 가능하게 된다. 이에 따라 위험자산의 편입 비중을 38.61%까지 확대하는 것이 가능하다.

포트폴리오 내에서 위험자산의 비중이 높아진다는 것은 그만큼 수익성 확보를 위해 사용되어야 하는 투자여력이 증가한다는 것을 의미한다. 실제로 위험자산에서 100%의 손실을 보는 경우는 그다지 많지 않다. 위험자산에서 설혹 손실이 나더라도 안전자산에서 발생하는 원금보장의 효과로 (+)의 수익을 낼 가능성이 높아지게 되는 것이다. 장기 투자에서의 수익률이 10년 이상이 될 경우 (–)의 수익을 낼 가능성보다 (+) 수익이 될 가능성이 높아진다는 제레미 시겔 교수의 연구자료를 감안할 때 장기의 투자기간 확보는 결국 포트폴리오의 수익을 안정적으로 향상시킬 수 있는 최선의 방법론으로 대두될만하다.

case study 1

투자기간에 따르는 금융상품의 선택기준

금융상품을 선택함에 있어 얼마의 투자기간을 확보했느냐에 상품 선택의 기준이 변경된다는 것을 명심해야 한다.

매월 100만원을 1~10년의 기간 동안 4%의 상품과 12%의 상품에 동시에 투자한다고 가정하자.

저축기간에 따른 수익률의 효과 (월 100만원 저축 시)

수익률	1년	3년	5년	10년
	12,000천원	36,000천원	60,000천원	120,000천원
4%	12,263천원	38,308천원	66,519천원	147,740천원
12%	12,809천원	43,507천원	82,486천원	232,339천원
차이	546천원	5,199천원	15,967천원	84,599천원

1년 동안만 투자한다고 가정할 경우 4%의 수익률로 투자할 때는 원금 12,000천원 대비 12,263천원, 12%의 수익률로 투자한다고 가정할 경우에는 12,809천원의 이익이 발생해 수익률 차이에 의한 이자 차이는 546천원에 불과함을 알 수 있다. 반면 10년의 기간 동안 4%의 수익률로 투자할 때는 원금 1억 2천만원 대비 147,740천원의 이익이, 12%의 수익으로 투자할 경우에는 232,339천원의 이

익이 발생해 수익률 차이에 의한 이자금액의 차이는 84,599천원에 이르게 된다.

이는 투자기간이 단기일 경우 수익성보다는 안전성 위주로 투자하는 것이 타당하며, 투자기간이 장기일 경우 안정성보다는 수익성을 감안해야 함을 의미하는 것으로 볼 수 있다.

case study 2

투자하기에 가장 좋은 시기는 언제인가?

투자와 관련되어 고객을 상담하게 되면 수 많은 애로사항을 듣게 되는데 그 중 가장 많이 듣는 사항 중에 하나가 "지금은 투자할 돈이 없다."는 말이다. 실제로 시장의 수 많은 투자자들이 자녀의 교육자금 마련이나 주택확장 등의 사유로 인해 현 시점에서 투자여력을 확보하는 것이 어려운 것이 사실이다. 하지만 투자의 시기를 늦춘다는 것이 투자자들의 입장에서 향후의 편안한 미래를 전혀 담보할 수 없게 만드는 치명적인 행위가 될 수 있음을 이해하여야 한다.

왜 빨리 투자해야 하는가?

(년수 있음 9.5%, 매년 초 1회만 저축할 경우)

고객A (초기10년불입/30년거치)				고객A (초기10년불입x/30년거치)			
연령	년투자액	누계투자액	원금+이자	연령	년투자액	누계투자액	원금+이자
30세	년300만씩	300만	330만	30세	–	–	–
32세	년300만씩	900만	1,080만	32세	–	–	–
34세	년300만씩	1,500만	1,990만	34세	–	–	–
36세	년300만씩	2,100만	3,070만	36세	–	–	–
38세	년300만씩	2,700만	4,370만	38세	–	–	–
39세	년300만	3,000만	5,110만	39세	–	–	–
40세	–	〃	5,600만	40세	년300만씩	300만	330만
45세	–	〃	8,810만	45세	년300만씩	1,800만	2,500만
50세	–	〃	13,870만	50세	년300만씩	3,300만	5,930만
55세	–	〃	21,840만	55세	년300만씩	4,800만	11,310만
60세	–	〃	34,380만	60세	년300만씩	6,300만	19,800만
65세	–	〃	54,120만	65세	년300만씩	7,800만	33,150만
69세	–	3,000만	77,800만	69세	년300만씩	9,000만	49,170만

A 고객의 경우 초기 10년 동안 매년 300만원씩 투자를 한 후 30년 동안 년 9.5%의 수익률로 예치한 케이스이다. A 고객이 실제로 투자한 금액은 10년간 총 3,000만원. 하지만 70세 초 시점에 A 고객이 이러한 투자에서 수령하게 될 원리금은 7억 7,800만원에 이르게 된다. 이 정도 금액이면 편안한 은퇴생활을 가능하게끔 만드는 금액이라 하지 않을 수 없다.

B 고객의 경우 자녀 교육비 마련 등의 명목으로 초기 10년의 기간 동안에는 저축을 하지 못하다가 40세 시점에서 매년 300만원씩 투자하는 케이스다. B 고객이 실제로 투자한 금액은 30년간 총 9,000만원. 70세 시점에서 B 고객이 수령하게 되는 원리금의 규모는 4억 9,170만원 밖에는 되지 않는다.

A 고객은 3,000만원을 투자해 7억 7,800만원을 수령해 투자원금의 26배 상당의 은퇴자금 수령이 가능하다. 하지만 B 고객은 9,000만원을 투자해 4억 9,170만원을 수령해 투자원금의 4.67배의 은퇴자금을 수령하게 된다.

A 고객의 투자방법과 B 고객의 투자방법 중 어떤 것이 더 쉬워 보이는가? 또한 어느 경우가 더 많은 수익을 창출해 내는가?
투자의 적기를 묻는 고객에게 재무 컨설팅 전문가들이 모두 언급하는 대답은 한결 같다. 그것은 바로 "지금" 이라는 것이다.

case study 3

주식시장의 고점과 저점을 알 수 없다면…

과연 주식시장의 고점과 저점을 아는 사람이 과연 세상에 존재할까? 신조차도 저점과 고점을 알 수 없다는 것이 많은 투자전문가들의 이야기이다. 주식시장의 고점과 저점을 알 수 없는 투자자가 행해야 할 최선의 투자 방법은 무엇일까? 그것은 바로 투자기간을 길게 하는 것이라 말 할 수 있다.

세계 유수의 투자 금융기관인 피델리티는 2006년 5월 이에 관한 자료를 발표한 바 있다. 피델리티는 1997년 10월 30일부터 2006년 4월 30일까지 약 10년의 투자기간 동안 주식시장이 급격하게 상승한 시기를 놓쳤을 경우의 영향을 조사했다.

조사결과에 따르면 미국 S&P 500에 10년 내내 투자를 유지할 경우 해당 기간 동안 8.02%의 수익을 낼 수 있었던 반면 기간 중 가장 높은 수익을 냈던 상승기 30일을 놓친 경우 수익은 -2.11%를 기록했음을 알 수 있다. 3100일의 기간 중 30일을 놓침으로써 계속 투자한 경우보다 10%가 넘는 손실을 기록하게 되었다. 시장의 분위기에 휩쓸려 매수매도를 손 쉽게 행하는 개인 투자자들의 경우 3000일 중 30일을 놓치는 것은 너무나도 빈번한 경우일 것이다.

시장의 고점과 저점을 알지 못하는 것이 너무나도 당연한 Fact 임을 감안할 때 장기로 꾸준히 투자하는 장기투자를 시행하는 것이야말로 적정 수준의 투자수익을 확보함에 있어 기본적으로 해야 하는 것임을 알 수 있다.

시장	지수	10년 내내 투자를 유지한 경우	가장 높은 상승기 10일을 놓친 경우	가장 높은 상승기 20일을 놓친 경우	가장 높은 상승기 30일을 놓친 경우	가장 높은 상승기 40일을 놓친 경우
유럽	FTSE Europe Ex UK	11.52%	5.86%	1.87%	-1.40%	-4.26%
영국	FTSE All Share	8.02%	3.69%	0.56%	-2.11%	-4.4%
미국	S&P 500	8.94%	3.91%	0.10%	-3.71%	-5.89%
독일	DAX30	9.14%	2.15%	-2.96%	-6.97%	-10.42%
프랑스	CAC40	12.01%	5.47%	0.92%	-2.95%	-6.30%
홍콩	Hang Seng	7.80%	-1.36%	-6.59%	-10.64%	-14.32%

자료 : 피델리티 인베스트먼츠(2006. 5)

※ 주1 : 모든 수치는 1997. 10. 30 ~ 2006. 4. 30 기간 중 매월 투자가 시작되어 10년 기간 유지되었다고 가정하는 경우 현지 통화를 기준으로 한 연환산 총수익률임

05

잃지 않는 투자를 위한 네 번째 투자원칙 : 자산을 관리하라

1억 원의 종잣돈이 있다. 만약 1억 원을 투자해 30년간 매년 10%의 수익을 창출할 경우 30년 뒤 17억4,500만 원의 원리금을 수령할 수 있다. 하지만 30년 중 27년간 매년 10%의 수익이 발생하다가 마지막 3년간 수익이 하나도 발생하지 않을 경우에는 13억 1,100만 원의 자금으로 수령금액이 줄어들게 된다. 만약 마지막 3년간 매년 -10%의 손실이 발생했다고 하면 9억 5,500만 원의 자금을 수령하게 되어 매년 10%의 수익이 난 경우에 대비해 7억 9,000만원 상당의 수령금액 차이가 발생함을 알 수 있다.

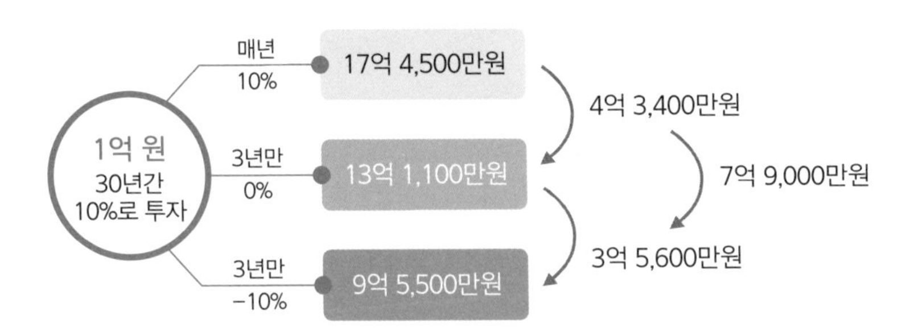

위의 사례에서 보면 30년 중 27년간 자산을 잘 운영하다 마지막 3년간만 수익을 내지 못해도 원래의 경우보다 4억 3,400만, 오히려 3년 동안 −10%의 손실이 발생할 경우 7억 9,000만원의 손실이 발생하는 것을 볼 수 있다. 마지막 3년의 −0% 의 손실이 기존의 투자원리금의 45%를 날려 버리는 효과를 보이는 것이다.

17억 4,500만원의 자금이 30년의 기간 동안 투자원칙을 잘 지켜 마련한 은퇴자금이라 가정해보자. 투자기간 30년 중 마지막 3년의 기간 동안 아무도 예측하지 못했던 금융위기와 같은 사태가 발생할 경우 은퇴 이후 평생을 소비해야 할 자금이 3년의 (−)손실로 바로 반토막 나버리는 어처구니없는 경우가 발생하게 되는 것이다.

위의 케이스에서 만약 마지막 3년의 기간 동안 금융위기의 위험성이 제기되어 27년의 기간 동안 적립해 놓았던 원리금을 4%대의 안전자산으로 전환시켜 놓았다면 어떤 결과가 나왔을까? 이러한 포트폴리오의 변경은 30년차의 적립금을 14억 7,500만원으로 안정화시킴으로써 그 동안 쌓아왔던 수익을 적절히 지킬 수 있음을 알 수 있다. 즉, 자산관리를 통해 축적된 자산의 사용처가 정해진 시기가 가까워지면 위험자산에서 안전자산으로 자산을 이전시킬 수 있는 관리를 할 수 있어야 한다는 것이다.

은퇴자금과 같은 장기의 투자자금 마련에 있어 앞에서 언급한 3대 투자원칙(분산 투자의 원칙, 적립식 투자의 원칙, 장기투자의 원칙)을 지키는 것은 매우 중요하다고 단언할 수 있다. 하지만 더욱 이러한 원칙을 지키는 것보다 더욱 중요한 것은 바로 자산을 시장의 방향성에 맞춰 관리할 수 있어야 한다는 것이다.

Chapter
06

자산을 관리하라

01

대한민국 투자자가 알아야 하는 자산관리 주기

통계청에서 발표한 경기순환주기를 살펴보면 우리나라의 경기는 평균적으로 32개월 동안 경기가 좋은 모습을 보이다가 18개월은 경기가 악화되는 모습을 보여 경기가 50개월을 주기로 순환하고 있음을 알 수 있다.

구분	기준순환일			지속기간(개월)		
	저점	정점	저점	확장기	수축기	순환기
1 순환기	1972.3	1974.2	1975.6	23	16	39
2 순환기	1975.6	1979.2	1980.9	55	19	74
3 순환기	1980.9	1984.2	1985.9	41	19	60
4 순환기	1985.9	1988.1	1989.7	28	18	46
5 순환기	1989.7	1992.1	1993.1	30	12	42
6 순환기	1993.1	1996.3	1998.8	38	29	67
7 순환기	1998.8	2000.8	2001.7	24	11	35
8 순환기	2001.7	2002.12	2005.4	17	28	45
9 순환기	2005.4	2008.1	2009.2	33	13	46
10 순환기	2009.2	2011.8	2013.3	30	17	47
11 순환기	2013.3	-	-	-	-	0
평균	-	-	-	32	18	50

우리나라의 경기 순환주기 중 수축기가 가장 길었던 경우는 29개월로서 경기가 아무리 악화 되더라도 2년 5개월 이상 지속되지는 않았음을 알 수 있다. 2008년의 금융위기 도래 시 100만년만에 한 번 발생할만한 위기라면서 수 많은 투자자들이 사상 유례없는 경기 침체기가 도래할 것이라고 걱정했지만 실제로는 2010년에 접어들면서 경기가 일정 부분 회복하는 모습을 보였던 점을 감안해 볼 때 넉넉히 3년 정도의 시간이면 수축기에서 확장기로의 전환을 충분히 예상해 볼 만하다.

만약 주식시장의 고점에서 거치식으로 투자한 고객이 투자한 원금을 회복하기 위해서는 과연 얼마나 소요될까? 주식이 경기 선행지수임을 감안할 때 경기순환주기를 활용해 원금 회복의 시기를 점쳐 보는 것은 그리 큰 무리가 없어 보인다.

1990년대 이후 경기가 한 사이클을 순환하는데 가장 오래 걸린 기간은 67개월임을 감안할 때 잘못된 시점에서의 무리한 투자를 회복하기에 필요한 기간이 5년 내외임을 알 수 있다. 이는 위험자산인 주식 등에 투자를 하는 경우 최소 5년 이상의 투자기간을 확보해야 한다는 것을 의미할 뿐만이 5년의 기간이 가까워 질수록 경기에 따라 포트폴리오를 변경할 수 있도록 사전에 준비해야 한다는 것을 의미한다.

특히 확장기(평균 32개월)에 비해 수축기(평균 18개월)가 더 짧아 비대

칭적인 모습을 보인다는 점은 경기는 좋아질 때는 천천히 좋아지고 나빠질 때는 경기가 급락할 수 있다는 것으로 이해될 수 있어, 경기 하락기에 빠르게 포트폴리오를 안전자산으로 바꿀 필요성이 있다는 것을 나타내고 있다고 볼 수 있다.

02

자산관리를 위한 핵심 지표 : 금리

투자시장에는 자산관리를 위한 수 많은 관리지표들이 소개되며 실제로 해당분야 전문가들에 의해 활용되고 있다. 하지만 개인 투자자의 입장에서 그 많은 지표들을 체계적으로 분석하고 이해한 후 본인의 포트폴리오를 관리한다는 것은 사실상 불가능한 일이다.

본서에서는 시장에서 언급되는 그 수많은 관리 지표들 중 자산관리를 위한 기본 Tool 로써, '금리' 라는 것을 이용해 자산관리의 방법을 설명해 보고자 한다.

'금리'란 한마디로 돈을 빌린 것에 대한 대가로 지불하는 자금의 가격이라 할 수 있다. 금리를 활용해 자산관리를 수행함에 있어 가장 기본이 되는 기능이 바로 금리의 ' 경기조절기능'이다.

우리는 3장에서 중앙은행의 통화정책에 대해 공부한 바 있다.

중앙은행은 경기침체기에는 금리를 인하해 시중에 유동성 자금을 공급하고, 경기 활황기에는 금리를 올려 시중의 유동성 자금을 흡수한다. 결국 중앙은행의 금리 인하 정책은 경기가 침체기로 접어들었다는 것을 중앙은행이 인정했다는 것과 다름이 아니며, 금리 인상 정책은 경기가 호황기로 접어들었다는 것을 중앙은행 차원에서 인정하는 것이라 이해할 수 있는 것이다.

한국은행은 1년에 8회 금융통화 위원회를 열어 기준금리를 발표한다. 다시 말해 한국은행은 일정한 시기에 투자자들에게 우리나라 경기에 대한 중요한 Signal을 내보내고 있는 것이다.

경기와 자산가격은 장기적으로 (+)의 관계에 있다는 점. 그리고 금리는 경기를 사후에 확인하는 지표라는 점을 동시에 감안할 때 경기 침체를 의미하는 금리 하락기에는 안전자산의 비중을 높이고, 경기 개선을 의미하는 금리 상승기에는 위험자산의 비중을 높이는 전략을 활용하는 것은 시장의 방향성에 부합하는 투자전략이라고 말할 수 있다.

다만, 금리의 상승이 경기회복에 의해 이루어진 것이 아닐 경우에는 이러한 전략의 활용을 지양해야 한다. 피셔법칙에 의하면 명목금리는 실질금리와 기대 인플레이션(물가상승)의 합으로 이루어져 있는데, 만약 금리의 상승이 물가상승에 대한 투자자의 기대로 인해 이루어진 것이라면 경기회복이 아닌 경기침체의 Signal이 될 수 있음에 유의해야 한다.

한 국가의 물가가 다른 국가의 물가보다 더 상승할 경우 투자자들은 물가가 상승하는 국가에서 자금을 인출해 물가가 안정적인 국가로 투자하려고 할 것이기 때문이다.

1. 금리의 추이에 따르는 포트폴리오 변경 시점은?

위에서 언급한 것처럼 금리가 중앙은행이 인식하는 경기의 수준임을 감안할 때 금리가 인하될 경우에는 경기침체를 중앙은행이 이를 인정하는 것으로, 금리가 상승할 때는 경기 개선 가능성을 중앙은행이 인정하는 것으로 이해될 수 있다.

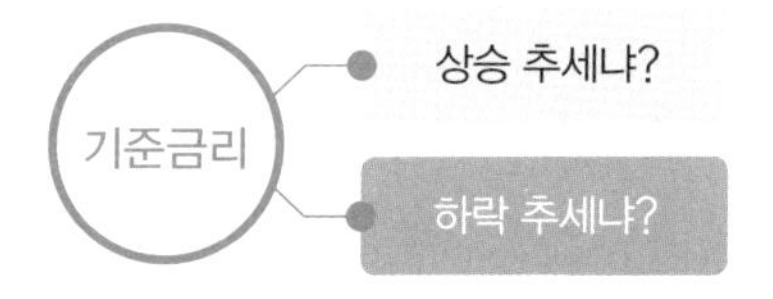

추세가 반전된 경우

① 하락→동결→상승 : 경기호전 중
② 상승→동결→하락 : 경기악화 중

그렇다면 금리가 어떠한 추세를 보일 때 포트폴리오를 시장의 방향성에 맞춰 수정해나가야 할까 ?

경기는 일정한 사이클을 가지고 있으며, 금리가 경기의 후행지수임을 감안할 때 경기는 일정한 추세를 상당기간 유지하는 특성을 가지고 있음을 이해해야 한다. 즉 한달 경기가 급속히 좋아졌다가 한달 경기가 급속히 나빠지는 그러한 경향은 보이기 어렵다는 것이다.

따라서 경기가 나빠지면 상당기간 동안 나빠지고(우리나라 경기순환기 중 수축기는 평균 18개월), 경기가 좋아지면 상당기간 동안 좋아진다.(우리나라 경기 순환기 중 확장기는 평균 32개월)

따라서 금리가 상승하다가 더 이상 상승하지 못 하고 지지부진한 모습을 보일 때에는 포트폴리오내에 안전자산의 비중을 높여나가기 시작해야 한다. 금리가 상승추세를 멈춘다는 것 자체가 경기가 더 이상 상승하기 어렵다는 뜻으로 이해될 수 있기 때문이다. 특히 금리가 하락추세로 반전되는 초기 시점에서는 반드시 안전자산(채권 등)의 비중을 급속히 변경할 필요가 있다. 이는 금리인하가 경기침체를 중앙은행이 확인했다라는 인식뿐만이 아니라, 금리 인하에 따른 채권가격 상승의 이익을 동시에 향유할 수 있기 때문이다.

반대로 금리가 하락하다가 더 이상 하락하지 못할 수준까지 금리가 떨어지고 이러한 금리수준이 일정기간(3~6개월) 지속될 경우 포트폴리에서 위험자산의 비중을 늘리기 시작하는 것이 타당하다. 금리가 더 이상 떨어지지 못 한다는 것은 시장에 계속 풍부한 유동성 자금이 상당부분 공급될 것이라는 시그널임과 동시에 향후에는 금리가 결국 올라갈 수 밖에 없다는 점에서 안전자산인 채권의 가격이 하락할 수 있는 위험에 직면하는 것임을 의미하기 때문이다.

금리상승은 새롭게 새롭게 발행된 채권의 금리는 상승할 수 있으나, 이미 낮은 금리로 발행된 채권은 개별 채권을 투자하여 만기까지 보유하는 경우에는 원금손실이 발생하지 않겠지만, 채권형 펀드에 투자한 경우는 시가평가를 적용받기 때문에 손실을 낼 수 밖에 없는 상황에 직면할 수 있다는 것을 알아야 한다.

case study

금리 추이에 따른 워런 버핏의 성공 투자 사례

국가	2008년									2009년	
	1	1	3	4	8	10	10	11	12	1	2
한국	5.00	5.00	5.00	5.00	5.20	5.00	4.25	4.00	3.00	2.50	2.00
미국	3.50	3.00	2.25	2.00	2.00	1.50	1.00	1.00	0.25	0.25	0.25

미국 중앙은행인 FRB 수장 버냉키는 금융위기로 인한 경기침체가 극심해지자 2008년 10월에 금리를 2차례나 인하해 금리를 1%로 인하하게 된다. 1%의 금리는 이전 FRB 수장인 앨런 그린스펀 의장이 IT 버블 폭발로 인한 경기침체를 극복하기 위해 통화완화 정책을 사용했던 2000년대 초반 미국의 최저금리와 같은 수준의 초저금리 수준이었다.

2008년 10월 18일경 워런 버핏은 “지금은 탐욕을 부릴 시기” 라고 주장하며 적극적으로 주식을 매입하고 있다고 언론에 공개적으로 선언을 하기에 이른다.

2008년 12월에 이르자 금융위기로 인한 경기침체가 극에 달하자

FRB 수장인 버냉키는 금리를 0~0.25% 수준으로 낮추는 금리인하 정책을 단행하게 된다. 이는 미국 역사상 유례없는 초저금리임은 분명한 사실이었다.

2008년 12월 15일 워런 버핏은 초저금리 시대는 경기침체가 극에 달해 있는 시점이라는 것에도 불구하고 차입금이 적은 회사, ROE 15% 이상이 되는 회사의 주식을 적극 매입한다. 이에 따라 미국의 대표 기업이라 불리는 GE에 30억 달러, 골드만 삭스에 50억 달러의 자금을 투입해 공격적인 투자행보를 계속 진행하였다.

워런 버핏의 이러한 투자행위에 대해 2009년 1/4분기 수 많은 금융기관들이 그의 투자행위를 어리석은 투자로 규명하고 이를 비웃기 시작한다. 그가 이끄는 버크셔 해서웨이의 2008년 투자손실이 −32%(250억 달러)를 기록하자 '워런 버핏의 굴욕' 이라는 기사까지 언급한 언론 기사마저 있었던 상황이다.

하지만 아이러니하게도 이러한 기사가 게재된 지 정확히 6개월이 지난 2009년 9월 동일 언론에서는 "부자의 달인들은 역시 달랐다." 라는 기사를 내보내며 워런 버핏의 투자행위를 극찬하게 된다. 워런 버핏은 골드만삭스에 대한 투자를 통해 41억$(5조) 이상의 수익을 거두는 성과를 보여준 것이다. 당시 한국의 재벌순위 1위인 삼성그룹의 이건희 회장의 총 자산이 6조 정도 었음을 감안하면 워런 버핏은 50년 이룬 한국의 최대 재벌의 자산을 불과 1년만에 벌어들인 모양이 된다. 버핏의 투자는 향후 부자가 되기를 원하는 투자자가 금융시장을 얼마나 잘 이해하고 투자를 실행해야 할 것인가를 보여주는 가장 좋은 케이스가 될 것이다.

워런 버핏의 투자행위를 보면 금리의 추이와 관련해 재미있는 사실 하나를 발견하게 된다. 워런 버핏은 미국 금리가 이전 최저점에 달하던 수준인 1% 수준에서 위험자산인 주식시장에 대한 투자를 공언하고 나섰다. 1%대의 초저금리 시대에 이루어진 그의 과감한 투자는 1%대의 초저금리 자체가 경기침체가 극에 달해 있는 시점을 반증하는 시그널이고, 동시에 이러한 초저금리는 시장에 풍부한 유동성 자금을 공급해 향후 위험자산 시장인 주식시장에서의 이익 확보가 가능하다는 경제 메커니즘에 대한 이해가 뒷받침되어 이루어 진 것으로 이해할 수 있는 것이다.

금리가 1%에서 0.25%로 하락했던 시점에서의 그의 과감한 투자 또한 금리가 더 이상 내려갈 수 없을 만큼 내려간 수준인 만큼 금리 인하에 따른 유동성 효과가 위험자산시장의 자산가격을 상승시킬 수 있는 계기가 될 것이라는 믿음으로 이루어진 것으로 짐작할 수 있다.

워런 버핏의 이러한 투자성공 사례는 금리 인하 → 금리동결 → 금리 상승의 메커니즘에서 금리가 더 이상 하락할 수 없는 금리 동결시점에서의 위험자산의 투자 메커니즘을 설명하는 적절한 사례로 이해될 수 있을 것이다.

03

금리를 활용한 자산관리 전략의 효과 분석

워런 버핏의 투자성공사례에서 살펴본 것처럼 금리의 변경 추이에 따라 포트폴리오 내의 위험자산과 안전자산의 비중을 적절히 변경할 필요성이 있다. 그렇다면 포트폴리오의 비중을 변경하는 시점은 어느 때가 가장 좋을까? 그 시기를 정확히 판단하기 어렵지만, 금리가 상승일로에 있다가 더 이상 오르지 않는 시점에서 안전자산으로의 포트폴리오 변경을 준비하다가 금리 하락에 대해 시장의 컨센서스가 모아질 때, 즉 경기침체 우려가 시장에서 제기되는 시점에서 안전자산의 비중을 높이는 것이 타당하다. 우리나라의 경우 특히 금리가 하락하는 초기시점에 채권 등의 안전자산으로의 포트폴리오 비중확대가 이뤄져야 한다. 우리나라의 경우 경기 확장기가 32개월인 반면 경기 수축기가 18개월에 불과하다는 점에서 경기가 급락하는 모습을 보이게 되며, 금리가 경기의 후행지수임을 감안할 때 금리의 추이 또한 급격하게 하락하는 모습을 보일 것으로 예측할 수 있기 때문이다. 금리의 급격한 하락은 안전자산인 채권의 가격상승을 이끌 수 있어 경기침체에 따른 안전자산으로의 포트폴리오

비중확대가 오히려 이익을 제고하는 계기로 작용될 수 있음으로 이해되기 때문이다.

반면 금리가 하락하는 추세에 있다가 더 이상 하락하기 어려운 시점에 도달할 경우 포트폴리오에 안전자산의 편입비중을 줄이고 위험자산의 비중을 확대할 준비를 해야 한다. 특히 향후 경기개선에 의해 금리가 상승할 것이라는 논쟁(출구전략)이 발생할 때 자산을 안전자산에서 위험자산으로 옮길 필요성이 있다. 이는 금리 상승에 대한 논의 자체가 경기가 회복되고 있음을 중앙은행이 확인하는 것이기 때문이다.

이러한 추세를 금융위기와 이를 극복하는 과정에서 우리나라에도 적용되었는지를 검증해보고자 한다

추세 반전된 경우

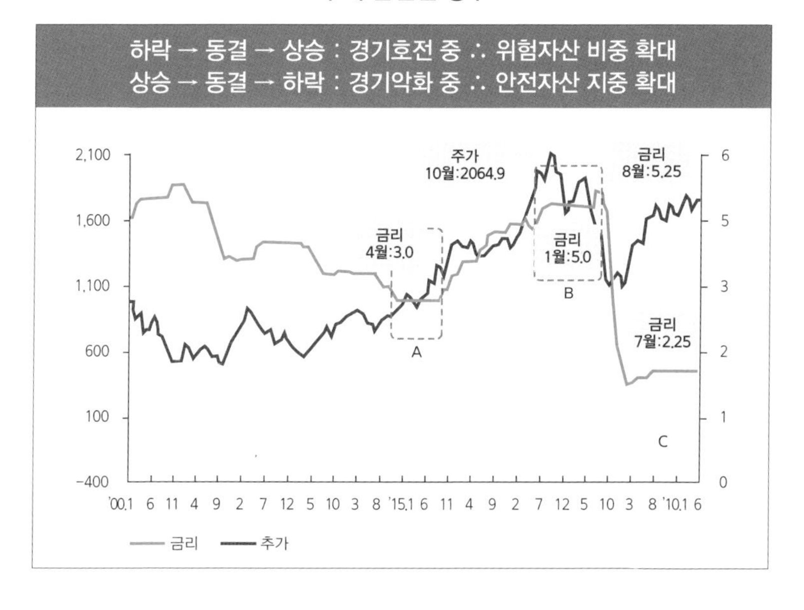

A 시점을 한번 살펴보자. A 시점의 경우 금리가 하락일로에 있다가 2004년 11월부터 2005년 10월까지 1년 동안 금리는 3.25% 수준에서 동결되는 모습을 보이다가, 2005년 10월 11일 3.5%로 다시 상승하는 모습을 보였다. 이 시기에 주가의 흐름을 보면 금리 동결 과정 중 주가는 이미 상승(2004.11 KOSPI 지수 878.06 → 2005.10 KOSPI 지수 1158.11)하는 모습을 보이다가 금리 상승 이후에 주가가 본격적으로 상승(2007.10 KOSPI 지수 2064.85)하는 모습을 볼 수 있다.

구분	2004.11~2005.10	2005.10	비고
기준금리 (%)	3.25	3.5	0.25%
KOSPI	878.06	1158.11	280.05 (31.89%)

이는 결국 금리하락 → 금리동결 → 금리 상승의 과정은 경기 회복과정을 의미하는 것으로서 포트폴리오 구축에 있어 안전자산(채권)보다 위험자산(주식)의 비중을 높이는 것이 타당하다는 것을 나타내주는 것이라 할 수 있다.

이는 우리나라 주식시장 강세장의 전형적인 특징이다. 경제성장에 대한 확신이 생기면서 물가가 상승하며 이에 따라 금리가 동반상승하기 시작한다. 경제성장에 대한 확신은 물가 상승과 이에 후행하는 금리의 상승으로 표현된다.

B 시점을 살펴보면 금리가 상승추세에 있다가 2007년 8월 9월 5%로 인상된 후 2008년 8월까지 1년 동안 더 이상 상승하지 못하고 한

동안 동결되어 있다가 2008년 10월 9일서부터 급격하게 하락 (-1%) 하기 시작하더니 2009년 2월까지 단 5개월 동안 5.25%에서 2%까지 수직으로 하락하는 모습을 보이고 있다. 이 시기 KOSPI 지수 추이를 살펴보면 2008.5 KOSPI 지수는 1852.02에 이르렀으나, 본격적인 경기하강을 의미하는 금리하락시기에 이미 KOSPI 지수는 1113.06까지 떨어졌으며, 2009.2월 금리가 2%까지 하락하면서 KOSPI 지수는 1063.03을 기록해 월 종가기준으로 최저점을 경신하게 됩니다. 이는 물론 금융위기에 따른 급격한 경기침체를 금리가 반영했다고 볼 수 있지만 그 추세를 확인하기에는 훌륭한 사례라 말할 수 있다.

구분	2008.8	2008.9	2008.10	2008.12	2009.2	비고
기준금리 (%)	5	5.25	4.25	3	2	-3.25
KOSPI	1474.24	1448.06	1113.06	1124.47	1063.03	-411.21 (-27.9%)

즉 금리상승 → 금리동결 → 금리하락의 과정은 경기침체 과정을 의미하는 것으로서 포트폴리오 관리에 있어 위험자산(주식)의 비중을 줄이고 안전자산(채권)의 비중을 높이는 것이 타당함을 보여주는 사례라고 볼 수 있는 것이다. 특히 안전자산인 채권의 경우 금리가 하락할 경우 채권가격이 더욱 상승한다는 점에서 이 시기에 안전자산으로의 자산이전은 위험자산의 손실로부터의 자산보전효과와 아울러 보유 포트폴리오의 수익을 향상시키는 효율적인 Portfolio 구축행위 임을 알 수 있다. 대부분의 투자자들이 자산가격 하락의 충격에서 헤어나오지 못할 때 원금보전뿐만 아니라 적정한 수익을 확

보한다는 것 자체는 향후 더 큰 수익을 창출해낼 수 있는 원동력이 될 수 있음을 명심해야 한다.

2010년 C의 상황을 살펴보면 금리하락 → 금리동결 → 금리 상승의 과정 중임을 알 수 있다. 한국은행이 2010년 6월부터 2011년 6월 10일까지 기준금리를 2%에서 3.25%까지 꾸준히 상승시켰다. 한국은행의 금리 상승배경에 금융위기에 대응해 우리나라의 빠른 경기 회복세가 뒷받침 되었음은 주지의 사실이다. 금리가 상승하는 과정에서 우리나라 주식시장의 KOSPI는 1698.29에서 2192.36 이라는 역사상 최고점을 기록하는 등 주가의 상승세가 금리 상승과 동반되어 이루어졌음을 보였다.

구분	2010.6	2010.12	2011.3	2011.6	비고
기준금리 (%)	2	2.5	3	3.25	1.25%
KOSPI	1698.29	2051	2106.7	2100.69	402.4 (23.7%)

결국은 위험자산과 안전자산의 비중을 적정하게 유지해 나가는 분산 투자, 시간에 대한 분산 투자를 통한 위험감소를 추진하기 위한 적립식 투자, 수익의 안정화를 가능케 하는 장기투자의 원칙을 지켜나가면서, 시장의 변화방향에 따르는 자산관리의 중요성은 앞으로도 성공하는 투자자들이 지켜나가야 할 핵심 원칙이 될 것이다.

투자자의 입장에서 포트폴리오를 어떻게 구축해 나가야 할 것인가에 대한 진지한 고민이 이뤄져야 할 때라고 생각된다.

책을 마무리하며

2008년 금융위기가 전세계를 덮치기 전에 필자는 일본 출장을 일주일 정도 다녀온 적이 있었다. 매일 같이 아침부터 오후까지 수업이 진행되기는 했지만 그래도 그 수업은 4시 정도에 끝이 났던 것 같다. 여름철에 4시에 해가 중천에 떠 있을 때고 하루를 마감하기에는 상당히 많은 시간이 남아 있었다. 수업이 끝이 나는 택시를 타고 도쿄시내 주택가들을 돌아 보면서 부동산 중계업소에 붙어 있는 집값을 보면서 많은 충격을 받았다. 한국에서는 잃어버린 10년, 일본 부동산 버블이라는 이야기만 들었던 것이 왠지 모르게 잘못된 정보일수 있다는 생각이 들기 시작했다. 도쿄 시내 주택가들의 집값은 한국 강남, 종로에 비해도 터무니 없이 비싸다는 것을 깨달았다. 일본에서 보낸 일주일은 필자에게 자산시장을 어떻게 볼 것인가에 대한 확실한 지향점을 제시해 주었다.

일본에서 돌아와서 한국 부동산 시장에 대한 관심을 갖기 시작했다. 그러나 부동산 투자를 하기에는 목돈이 필요했다. 다행히도 필자는 그 때까지 금융에 대한 공부를 많이 했고, 금융시장에서 남들이 부러워할 정도의 터무니 없는 수익을 내지는 못했지만 그래도 금융시장에서 기대할 수 있는 적정 수순의 이익은 내고 있었다. 그리고 금융자산 투자를 통해 적지만 부동산 시장에 투자 할 수 있는 종자돈이 마련되어 있었기 때문에 부동산 투자를 시작할 수 있었다.

필자가 부동산 투자를 할 수 있었던 가장 큰 원인은 미래는 디플레이션보다는 인플레이션이 일어날 가능성이 많다고 판단했기 때문이었고, 당시에 부동산은 금융위기를 맞아 상당히 저점이라고 판단했기 때문이다. 2018년 지금의 부동산 시장은 10명 중에 9명은 상승할 만큼 상승했다고 하는 사람이 많을 것이다. 자신이 실행하는 투자에는 반드시 합당한 이유가 있어야 한다. 그냥 아무 이유 없이 남이 투자하니까 나도 한다는 식의 투자는 어떤 경우든 성공하기 어려울 것이다.

2017년 부동산 투자에 대한 광풍이 불었다는 것을 모르는 투자자는 없을 것이다. 2018년 3월에 개포동에 재건축 아파트 일반 분양을 하는데 투자자들이 주말에만 10만명이 모였다. 5억짜리 로또 분양아파트 등등 아파트 투자에 대한 기사가 많은 신문, 인터넷 판을 뒤덮고 있는 것이 지금의 현실이다. 그러나 이슈가 되고 있는 아파트는 중도금 대출이 되지 않기 때문에 전체 자금 약 10~15억을 투자자가 모두 마련 해야만 한다. 2018년 3월에 분양을 하여 2021년에 입주를 하는 시점까지 약 3년 동안 부동산 시장이 겪일 수 있는 위험, 약 6천만원 가까운 취등록세등을 감안하면 분양가가 평당 약 5천만원 30평대인 경우 17억에서 18억원 정도의 자금이 투입되는 것과 비교하면 필자에게는 로또로 보이질 않는데 왜 많은 사람들은 로또라고 생각할까?

이것은 지식과 경험의 차이일 것이다. 2017년 한해 동안 상위 10%안에 드는 펀드의 수익률은 약 30%정도의 수익을 냈다. 물론 개별 주식으로 따지면 수익률은 100%가 넘는 것도 많을 것이다. 한국 주식중에서 가장 안전한 삼성전자를 예로 들더라도 약 50%정도의 수익을 낸 것을 보면 어떤 자산이 로또인지 분명해질 것인데, 많은 투자자들은 삼성전자를 1년 보유하고 있기가 쉽지않다는 것을 알고 있기 때문일 것이다. 삼성전자 주식에 투자를 하고 매일 시세 변화를 눈으로 확인을 하면 많은 투자자들은 수익을 냈을 때 실현하고 싶은 유혹을 뿌리칠 수 없고, 손실을 봤을 때는 더 많은 손실을 볼수 있다는 두려움 때문에 견디질 못한다. 그러나 부동산은 일단 분양을 받고 나면 거의 가격 변동을 느끼지 못하기 때문에 어느 날 가보니 가격이 많이 올라있더라 그래서 돈을 벌었다고 이야기들이 많은 사람들에게 회자되는 것이다. 또한 50대 1의 청약경쟁률을 이겨냈기 때문에 그정도 돈을 버는 것은 당연하다. 정말 필자로서는 이해하기 힘든 일이다. 삼성전자 뿐만 아니라 많은 좋은 주식, 펀드를 투자할 수 있는 여건이 갖추어 져있고, 또한 50대 1의 경쟁률이 없이도 언제나 살 수 있는 정말 좋은 투자 대상이 있는데도 불구하고 부동산을 가장 좋은 투자 대상으로 생각하는 것은 금융시장에 대한 관심이 없었기 때문이 아닐까 하는 생각을 해 본다.

금융자산은 부동산 투자에 비해서 공부를 해야 할 것이 많고, 인내와 시련을 동시에 잘 이겨내야 하는 큰 어려움이 있는 것이 사실이다. 그러기에 부동산으로 수익을 얻은 부분은 많게는 42%의 세금을 납부해야 하지만 주식과 펀드로 얻은 수익은 비과세로 세금을 한 푼도 내지 않는 것이 아닐까? 물론 주식 양도차익을 과세를 하지 않는 이유는 더 많은 이유가 있을 수 있지만 필자의 짧은 생각은 고통에 대한 대가라고 생각한다.

또한 개포아파트 투자처럼 대출이 없이 약 15억원을 3년 동안 마련 할 수 있는 사람은 분명 부자일 것이고, 다른 금융자산에 이미 상당한 액수가 투자될 수도 있을 것이다. 그렇지 않으면 일반 서민이 3년에 15억원의 현금을 마련한다는 것은 불가능한 일이기 때문이다. 물론 부동산은 나쁘고 주식은 좋고, 주식은 좋고 부동산은 나쁘다라고 이야기하는 것 자체가 자산투자에 대한 올바른 인식은 아닐 것이다. 그렇지만 주말에 수십만명이 몇 시간을 기다리면서 까지 투자할 수 있는 현금 보유투자들이 많은 것일까? 그건 분명 아닐 것이다. 수십억원을 은행에 넣고 있는 투자자가 주말에 몇시간씩 줄을 서서 모델하우스를 보기위해서 찾는 사람은 아마도 많지 않을 것이다.

자본주의는 점점 더 발전할 것이고, 투자 대상은 점점 더 다양해질 것이다. 이런 측면에서 금융자산에 대한 투자 방법은 점점 더 복잡해지고 다양해질 것이 분명하다. 이러한 때에 금융지식을 습득하고 기회를 기다리는 동안 열심히 관련 지식을 쌓는다면 몇 시간씩 줄을 서서 밖에서 기다리지 않고도 로또 투자 대상을 찾아 미래에 부자가 될 수 있는 기회는 찾아올 것이라 생각해 본다.